JAN 2011

¡Diviértete con el yoga!

Ejercicios y juegos para toda la familia

JULIET PEGRUM

Grijalbo

NOTA IMPORTANTE SOBRE LA SALUD:
Tenga en cuenta que la información contenida en este libro y las opiniones del autor no sustituyen la atención médica de un profesional sanitario cualificado. Si sufre alguna afección médica, o le preocupa algún aspecto de su salud, consulte con su médico antes de proceder. Los editores no asumirán ninguna responsabilidad por las lesiones o enfermedades resultantes de los consejos ofrecidos o las posturas propuestas en el presente volumen.

Publicado en 2010 por CICO Books, en sello editorial
de Ryland Peters & Small

© 2010, Juliet Pegrum, por el texto
© 2010, CICO Books, por el diseño y las fotografáis
© 2010, Random House Mondadori, S.A., por la presente edición
Travessera de Gràcia, 47-49. 08021 Barcelona
© 2010, Ana Guelbenzu de San Eustaquio, por la traducción

Quedan prohibidos, dentro de los límites establecidos en la ley y bajo los apercibimientos legalmente previstos, la reproducción total o parcial de esta obra por cualquier medio o procedimiento, ya sea electrónico o mecánico, el tratamiento informático, el alquiler o cualquier otra forma de cesión de la obra sin la autorización previa y por escrito de los titulares del *copyright*. Diríjase a CEDRO (Centro Español de Derechos Reprográficos, http://www.cedro.org) si necesita fotocopiar o escanear algún fragmento de esta obra.

Edición: Mary Lambert
Diseño: Barbara Zuñiga
Fotocomposición: Compaginem
Fotografías: Ian Boddy, pp. 3, 5, 7, 11, 12, 20, 23, 25, 30, 33, 42, 51 (derecha e izquierda), 60, 80, 96, 102, 105 (abajo), 110, 116; las demás imágenes son de Sandra Lousada

ISBN: 978-84-253-4418-3

Impreso en China

G R 4 4 1 8 3

AGRADECIMIENTOS DEL AUTOR
Agradezco a Bel Gibbs su ayuda para encontrar niños modelo. También quiero dar las gracias personalmente a: Hal, Brogan, Nicholas, Oliver, Georgia, Brittany, Ambessa, Ayana, Alicia, Darragh, Gabriella, Joe, Timmy, Robert, William, Max, Alex, Lydia, Rosie, Tao tao, Imogen y Sophie por su inagotable energía y entusiasmo para demostrar la realización de las posturas que propongo en este libro. También me gustaría dar las gracias a Mary Lambert por organizar con destreza el material, y a Sandra Lousada por sus maravillosas fotografías.

Pueden ponerse en contacto con Juliet Pegrum en:
julietpegrum@mahamudrayoga.com

También damos las gracias a los siguientes niños modelo: Jude, Clarissa, Xanthe, Amelia, Cece y Felix.

Sumario

Introducción

El yoga es una técnica intemporal y práctica para desarrollar tanto la mente como el cuerpo. Las posturas de este libro son adecuadas sobre todo para los muy activos, ya que disfrutarán con el esfuerzo físico, y además se beneficiarán del desarrollo del cuerpo y la mente. Las diferentes posturas están especialmente adaptadas para que los niños pequeños también puedan disfrutar practicando yoga.

Este capítulo muestra que la práctica regular del yoga ayuda al niño a desarrollar una mayor conciencia del cuerpo y la mente, así como a adquirir hábitos de respiración, y explica cómo el yoga mejora y equilibra el funcionamiento del sistema glandular del cuerpo y los chakras, los centros de energía espiritual del cuerpo.

El yoga y los niños

El yoga fue concebido en la India hace miles de años. Las yoga asanas, o posturas, derivan de la observación de la naturaleza. Los yoguis estudiaron los movimientos de los animales y observaron cómo respiraban, se movían y se relajaban. Muchas de las posturas del yoga imitan o representan el espíritu de los animales, como el perro, el león o el gato, o elementos del medio ambiente, como montañas o árboles. Las posturas de animales en el yoga nos enseñan que para alcanzar nuestro mayor potencial como seres humanos y mostrar amor, compasión, tolerancia y felicidad necesitamos controlar nuestros instintos animales más básicos, como la codicia, el egoísmo y el deseo.

Posturas de hatha yoga

Este libro propone prácticas sencillas de hatha yoga que incluyen posturas físicas, técnicas de respiración, mantras y ejercicios de concentración. El movimiento es esencial para los cuerpos en crecimiento, ya que es la única actividad que conecta los dos hemisferios cerebrales y ayuda al cerebro a desarrollar todo su potencial. Como padres, utilizad la información que os ofrece este libro para practicar las posturas en casa con vuestros hijos. En las páginas 116-127 se incluyen varias sesiones de ejercicios. También se indica qué posturas son adecuadas para niños pequeños y principiantes. Reservar 20 minutos, dos o tres veces por semana, para practicar yoga con los niños es una fantástica manera de criarlos. El yoga también ayuda a los padres a mantenerse en forma. Conviene tomar primero algunas clases para poder compartir las posturas con confianza. A medida que los niños realicen las posturas de yoga con mayor seguridad, tal vez quieran asistir también a clases para poder interactuar con otros niños y seguir avanzando en su técnica del yoga.

Cómo ayuda el yoga a los niños

La práctica del yoga ayuda a los niños a entrar en contacto con la naturaleza y los ritmos normales de la vida. Puede conducirles a convertirse en adultos generosos y amables, que crearán, es de esperar, un mundo más pacífico en el futuro. El yoga también ayuda a mantener los huesos sanos y fuertes y los músculos ágiles y flexibles, por lo que mejora el rendimiento físico de los niños mayores en el deporte. Las posturas de equilibrio aumentan su atención mental y concentración y despiertan su creatividad. La práctica regular de las posturas puede controlar y calmar sus emociones, lo que les permitirá descansar con mayor facilidad y dormir profundamente. También ayuda a conservar la juventud: los yoguis de la India que han practicado yoga toda la vida tienen un aspecto joven y atemporal. A la mayoría de niños les encanta practicar yoga, ya que muchas de las posturas imitan la naturaleza y los animales, además de ser una actividad divertida y no competitiva. Intentad establecer una rutina de yoga saludable, regular y placentera con los niños desde pequeños, ya que es mucho más difícil crear rutinas cuando se hacen mayores.

Tradicionalmente en la India se introduce una rutina de yoga adecuada a los ocho años, ya que se considera el inicio de la pubertad, que lo introduce en el camino hacia la edad adulta. Además, es la edad en que los alvéolos pulmonares están completamente desarrollados para los ejercicios de respiración, y el niño ha adquirido la capacidad de conceptualizar.

Aprender yoga desde pequeño puede ayudar a un niño a ser más ágil y tener una mayor concentración mental.

Yoga para niños pequeños

También se puede enseñar yoga a niños de entre tres y seis años, pero es mejor convertir las posturas y las prácticas en algo divertido para estimular su creatividad y crecimiento intelectual. Así, el yoga para este grupo de edad temprana es más efectivo mediante los juegos guiados, que desarrollan sus sentidos y su capacidad imaginativa, y centran su atención. Las técnicas de juego con niños han sido una potente herramienta de enseñanza en muchas culturas durante siglos.

CUADRO DE SEGURIDAD

- Estad siempre presentes para practicar yoga con los niños, en un espacio cálido y abierto, sin muebles ni objetos.
- Aseguraos de que el niño respira a un ritmo constante durante cada postura y no intenta contener la respiración.
- Si una postura resulta dolorosa o incómoda, no dejéis que fuerce demasiado. Adquirirá flexibilidad con el tiempo.
- Recordad al niño que estire y alargue la espalda durante las posturas.
- Practicad yoga siempre juntos y por lo menos dos horas después de haber comido.

Beneficios del yoga para los niños

El yoga es una maravillosa disciplina que ofrece a los niños un ejercicio regular. También los mantiene tonificados y ágiles, y sus articulaciones realizan toda la gama de movimientos. Esto es muy importante, ya que los niños invierten más tiempo que nunca en actividades sedentarias como ver la televisión, escuchar música o jugar en el ordenador. Los efectos a largo plazo de este estilo de vida están relacionados con la presión alta, la obesidad, las úlceras y un mal funcionamiento del corazón y los pulmones.

El yoga adopta un enfoque holístico para mantener la salud y el bienestar que hace que el niño se sienta bien y beneficia a su cuerpo en crecimiento. Los estudios sobre los beneficios del yoga han demostrado que ayuda a los niños en los siguientes aspectos.

Flexibilidad y fuerza

Los niños son flexibles y ágiles por naturaleza, y es importante mantener dichas cualidades en sus cuerpos jóvenes. Las posturas de yoga, o *asanas*, fortalecen la columna vertebral en crecimiento, mantienen los músculos ágiles y fomentan un buen movimiento de las articulaciones. La acción de las posturas desarrolla las habilidades motoras musculares y permite pulir la coordinación y aumentar la variedad de movimientos.

En un nivel más profundo, los movimientos intensos al flexionar y girar en las posturas estimulan y masajean los órganos internos, de forma que equilibran el sistema endocrino y otros sistemas corporales. Algunas posturas estimulan diferentes zonas del cuerpo: por ejemplo, la postura de la vela (levantarse sobre los hombros, véase la página 75) ayuda al funcionamiento de las glándulas tiroides y paratiroides.

Las posturas de yoga se complementan bien con el deporte, ya que contribuye a que los niños flexibles sean más fuertes y a desarrollar resistencia. También ayudan a los niños menos ágiles que hacen mucho deporte a tener mayor flexibilidad.

Mejor postura

Practicar las posturas con regularidad estira y fortalece la columna vertebral, además de provocar un flujo de sangre y nutrientes a los músculos y discos intervertebrales del niño. Cuando la espalda está erguida y elevada, permite que fluya mejor la energía, y el sistema nervioso funciona de forma más eficaz y favorece acciones involuntarias como la respiración o la digestión. Realizar las posturas de yoga también mejora y fortalece los músculos que sostienen la columna, lo que reduce la probabilidad de sufrir dolor de espalda. Incluso una leve mejora en la postura potencia en gran medida la capacidad pulmonar, la circulación de la sangre y el flujo de la energía por el cuerpo.

Si los niños desarrollan una buena postura gracias a la práctica del yoga, se puede contrarrestar el tiempo que pasen en una silla viendo la televisión o utilizando el ordenador. Sentarse inclinado también impide que los niños respiren adecuadamente.

Conciencia corporal

El yoga fomenta la conciencia corporal a través de las posturas, ya que la mayoría se repiten a ambos lados del cuerpo. Se cree que así se armonizan el hemisferio derecho e izquierdo del cerebro. La capacidad de distinguir entre izquierda y derecha es la base de la conciencia corporal y se desarrolla hacia los siete años, aproximadamente cuando se domina el movimiento de la mano.

La realización de secuencias dinámicas como el guerrero de las páginas 88-89 fortalece las piernas, las caderas y la espalda.

Respiración

Aprender a respirar adecuadamente es una parte esencial de la práctica del yoga que se explica en detalle en las páginas 102-109.

La respiración es una de las funciones más importantes de la vida. Los bebés, por naturaleza, respiran profundamente desde el diafragma, pero a medida que nos hacemos mayores y sufrimos más estrés en la vida, tendemos a respirar de forma más superficial desde el pecho. Enseñar a los niños a respirar más profundamente en el yoga permite que el cuerpo atraiga más *prana*: la sutil energía que preserva la vida que se introduce en el cuerpo a través del aire, la luz solar, el agua y la comida.

La respiración tiene relación directa con la mente y las emociones. Practicar una respiración profunda ayuda a calmar la mente y libera las emociones bloqueadas o la energía creativa.

Las técnicas de respiración del yoga pueden facilitar unos patrones de sueño mejores. Dejad que el niño practique el ejercicio de respiración de estómago relajado (véase la página 105) antes de acostarse y puede que alivie un cúmulo de energía nerviosa.

Técnicas de concentración

Centrar la mente es una parte primordial de la práctica del yoga que se explica con mayor detenimiento en el capítulo 8 (véanse las páginas 110-115). Los ejercicios de concentración y visualización ayudan a los niños a aprender a estar sentados, a entrar en contacto con su yo interior, centrar la mente y evitar distracciones externas para poder disfrutar del momento presente. Cuando adquieren estas habilidades permanecen más atentos y receptivos, lo que les facilita prestar atención en el colegio y aumentar su capacidad de aprendizaje.

El cerebro se divide en dos hemisferios cerebrales, de los cuales cada lado tiene una función única. Las posturas de yoga, los ejercicios de respiración y las técnicas de concentración también ayudan a equilibrar y estimular los dos hemisferios del cerebro. El lado izquierdo, lógico y racional, y el derecho, más imaginativo, creativo e intuitivo.

Habilidades comunicativas

El desarrollo del habla en los niños está relacionado con sus capacidades intelectuales, así que algunos aprenderán a hablar antes que otros. Se sienten estimulados a hablar por las «conversaciones» que mantienen con sus padres y otros niños. El yoga amplía el vocabulario del niño, ya que les enseña los nombres de los animales, las partes del cuerpo y los objetos. Recitar los mantras o cantar puede ser divertido y agradable, y también desarrolla habilidades comunicativas.

La práctica de las posturas de yoga desde una edad temprana puede ayudar a desarrollar la confianza y la autoestima del niño.

Fomentar la autoestima

Cuando uno tiene una imagen positiva de sí mismo irradia confianza y alegría. Los estudios sobre el uso de afirmaciones positivas (decir una frase positiva repetidamente) han demostrado que la personalidad de cada uno refleja cómo nos vemos a nosotros mismos. Si un niño se siente inepto, actuará según esa imagen de sí mismo. El yoga utiliza técnicas de lenguaje positivo, afirmaciones y visualización que aumentan la autoestima del niño. Además, a medida que un niño domina más las posturas del yoga, se siente más sano y tonificado, y mejoran su confianza y la imagen de sí mismo.

Una disciplina no competitiva

El yoga no es competitivo, por lo que los niños pueden disfrutar de los ejercicios físicos y mentales sin preocuparse de si lo consiguen o fracasan. Jugar a deportes competitivos puede estresar y angustiar a algunos niños. Al enseñar las posturas de yoga, no utilicéis lenguaje negativo, como «así no», ni exijáis la perfección. Es mucho mejor inculcar el placer de practicar las técnicas.

FILOSOFÍA DEL YOGA

En la filosofía del yoga se sugieren pautas para la vida. Existen cinco acciones que deberíamos evitar, denominadas *yamas*, y cinco acciones que llevar a cabo, llamadas *niyamas*. Es importante que los niños las aprendan, ya que constituyen una parte esencial de la práctica del yoga. También nos enseñan a actuar de forma responsable y sacar el mayor provecho de nosotros mismos.

Paso 1: Yamas

LIMITACIONES

Ahimsa – no ser violento es una actitud que consiste en no desear hacer daño a ningún ser vivo, incluido tú mismo, de palabra, pensamiento o acción. Es importante enseñar a los niños a ser amables, con los demás y consigo mismos.

Satya – no intentar ser lo que no eres, consiste en llevar una vida honesta y abierta.

Asteya – literalmente significa «no robar», pero este *yama* se refiere a no sentir celos ni coger ni utilizar nada que no nos den libremente.

Brahmacarya – conservación de la energía, controlar los sentidos para evitar los abusos, como comer demasiado.

Aparigraha – evitar ser avaricioso o acaparador, o anhelar las posesiones de los demás.

Paso 2: Niyamas

PRÁCTICAS

Saucha – mantenerse limpio: dentro del cuerpo y en casa.

Santosha – satisfacción: ser feliz como eres y con lo que tienes.

Tapas – autodisciplina: sacar el mayor provecho de uno mismo, perseguir objetivos que valgan la pena y no rendirse con demasiada facilidad.

Svadhyaya – estudio y aprendizaje que merezcan la pena.

Ishvarapranidhana – entrega: dedicar todo lo que hagas y consigas a los demás.

La ética del yoga

El yoga no es una religión, sino un modo de vida, pero cuenta con una ética básica utilizada por muchas religiones. La principal premisa del yoga es: «Actúa con los demás como te gustaría que actuaran contigo», así que no hacer daño a otros seres vivos, física, verbal o mentalmente, es el principio básico del yoga.

Los niños adquieren el juicio de valor como reacción a otros niños y adultos que ejercen de modelos. El aprendizaje del yoga les enseña a respetarse a sí mismos y a los demás niños. Les ayuda a entender cómo afectan sus acciones a los demás, además de a apreciar las maravillas del mundo natural.

Yoga para la mente, el cuerpo y el espíritu

Nuestros cuerpos son sistemas complejos que comprenden numerosas partes en funcionamiento, como los brazos, las piernas, el corazón y los sistemas respiratorio, circulatorio y digestivo. Cuando alguna parte del cuerpo no funciona correctamente, nos afecta física y espiritualmente.

La medicina occidental se centra en tratar los síntomas físicos, mientras que la medicina oriental y el sistema del yoga consideran el cuerpo energéticamente. *Prana* es una fuerza vital sutil o energía que está en todas partes. Nuestros cuerpos absorben *prana* del mundo que nos rodea, de los alimentos que comemos, del aire que respiramos y de la luz solar. Esta energía luego fluye por los principales órganos y partes del cuerpo mediante los chakras (nuestros centros de energía espiritual) y canales energéticos llamados *nadis*: existen 72.000 en total. La palabra *nadi* significa literalmente «flujo», y para estar sanos la energía debe fluir con libertad por esos canales a los órganos, glándulas y centros espirituales del cuerpo. El yoga es un sistema de ejercicio profundo que estimula el cuerpo física, mental y energéticamente.

El sistema endocrino

Una de las cualidades propias del yoga es su efecto en el sistema endocrino. El sistema endocrino, o glandular, controla las funciones corporales y segrega hormonas directamente a la corriente sanguínea. Las hormonas son mensajeras químicas que dan órdenes desde el cerebro al cuerpo e influyen en nuestro estado de ánimo y comportamiento.

El crecimiento en los niños

El buen funcionamiento del sistema endocrino reviste especial importancia para los niños, ya que determina el ritmo del crecimiento y su salud emocional. Además, hacia los ocho años la glándula pineal de control se ralentiza y la pituitaria asume el mando y envía las hormonas reproductivas al cuerpo, que inician un rápido desarrollo de las capacidades emocionales y mentales. Estas hormonas estimulan el inicio de la pubertad. Cuando un niño practica yoga con regularidad, el sistema endocrino se mantiene en equilibrio, y crece y se desarrolla con normalidad. Sin embargo, si existe un bloqueo en el sistema hormonal, como una tiroides con escasa o excesiva actividad, el niño puede cambiar y volverse pasivo o hiperactivo.

Las posturas del yoga también aumentan la introducción de oxígeno en la corriente sanguínea, lo que potencia el flujo de la sangre a las zonas glandulares y las hace funcionar con mayor eficacia, además de mejorar la salud y el bienestar generales.

Las posturas se pueden realizar para calmar o activar el sistema. Si un niño padece hiperactividad, practicad ejercicios de respiración tranquilos o técnicas de relajación (véanse los capítulos 7 y 8). Los niños hiperactivos, o los que sufren un desorden de déficit de la atención, con frecuencia se equilibran de forma natural haciendo yoga. Un niño que parece apagado y apático puede potenciar sus funciones corporales haciendo algunas posturas dinámicas o energéticas.

La práctica de yoga durante la pubertad ayuda a regular los cambios físicos y las explosiones hormonales que tienen lugar en el cuerpo, y a reducir los cambios de humor que afectan a muchos adolescentes.

Las glándulas endocrinas

Existen ocho tipos distintos de glándulas en el cuerpo, cada una con una función diferente.

Glándula pituitaria Está situada en la cabeza. Es la principal glándula del cuerpo, ya que toda la información llega a la pituitaria, que controla todas las demás glándulas. Influye en el crecimiento general del cuerpo, y en cómo funcionan otras glándulas y órganos.

Glándula pineal También está situada en la cabeza. Se sabe poco de la glándula pineal, que está ubicada en el bulbo raquídeo (la parte inferior del tronco cerebral). Es activa en el desarrollo de los niños hasta los ocho años, cuando empieza a calcificarse. A medida que va siendo menos activa, la glándula pituitaria empieza a tomar el control y propicia el inicio de la pubertad.

Glándulas tiroides y paratiroides Estas glándulas están situadas en la garganta. La tiroides es responsable del crecimiento físico y mental, la frecuencia cardíaca, el metabolismo, la presión sanguínea y la absorción de la glucosa. Las secreciones de la glándula paratiroides controlan los niveles de calcio en sangre, que afectan a la fortaleza de los huesos, el tono muscular y el sistema nervioso.

Timo Está ubicado en la zona del corazón. Permanece activo durante los años de formación del niño, estimula la respuesta del sistema inmunológico y fomenta un crecimiento normal del cuerpo. Empieza a encogerse y disminuir en la pubertad, hacia los catorce años.

Glándulas suprarrenales Están ubicadas encima de los riñones, y expulsan al sistema hormonas como la hidrocortisona para regular el metabolismo, y la adrenalina para provocar la reacción del cuerpo al estrés: el mecanismo de luchar o salir huyendo.

Testículos y ovarios Son las glándulas sexuales del cuerpo. Los testículos masculinos y los ovarios femeninos gobiernan el funcionamiento de los órganos reproductores. Los testículos controlan el crecimiento del vello corporal, el tamaño del cuerpo y el tono de voz. El estrógeno es una hormona femenina producida por los ovarios; juega un papel importante en la pubertad, ya que controla el ciclo menstrual, así como en la reproducción y en el mantenimiento de los huesos sanos.

De la misma manera que un coche bien mantenido responde, el buen funcionamiento de las glándulas endocrinas asegura que el cuerpo «vaya» bien.

Realizar diferentes posturas de yoga con regularidad ayuda a equilibrar las glándulas endocrinas de los niños, lo que mejora sus funciones corporales y estados de ánimo.

EL CUERPO ETÉREO

Los chakras

Las glándulas endocrinas están intrínsecamente relacionadas con los chakras (nuestros centros de energía espiritual). Así, si un chakra falla, también se producirán alteraciones hormonales, físicas y emocionales. La palabra *chakra* significa literalmente «rueda» o «disco», ya que son círculos fuertes de energía. Hay siete chakras principales situados en el aura (el cuerpo etéreo) a lo largo de la columna vertebral, desde la base hasta la coronilla. En el yoga cada chakra se asocia al desarrollo emocional, psicológico y espiritual. Todos los chakras están unidos por *nadis* (canales energéticos). El funcionamiento de cada chakra depende de la salud espiritual y física de la persona, así que algunos pueden estar poco activos, apagados o posiblemente hiperactivos. La práctica del yoga puede ayudar a resolver bloqueos energéticos y a volver a equilibrar los chakras.

Equilibrar chakras de NIÑOS

Las asanas y los ejercicios de respiración (véase el capítulo 7) pueden purificar los chakras de los niños y ayudar a armonizar la prana, lo que facilita que esta circule con libertad por el cuerpo. Eso les permite desarrollarse física, emocional y psicológicamente.

Los siete chakras

1 CHAKRA *MULADHARA* (RAÍZ)

Es el chakra más bajo, situado en el suelo pélvico inferior, entre el ano y los órganos sexuales. En el yoga el muladhara se representa como un precioso loto rojo con cuatro pétalos. En el centro del loto hay un cuadrado amarillo que representa el elemento de la tierra y la *shakti*, o energía primaria.

Físicamente se considera que en el yoga está conectado con una glándula que ya no existe, y en el campo emocional trata la supervivencia humana básica, el sentirse estable y seguro en este mundo. Cuando este chakra funciona correctamente, el niño se siente arraigado, desborda energía y se lleva bien con otros niños y adultos. Si está demasiado activo, puede volverse muy egoísta o egocéntrico, intimidar a otros niños o ser demasiado bullicioso. Si está poco activo, puede ser dependiente, miedoso y tener baja autoestima o una mala imagen de sí mismo.

Para equilibrar el chakra Muladhara practicad la postura del puente (véase la página 71) y la de la langosta (véase la página 56).

2 CHAKRA *SVADHISTHANA* (SACRO)

El segundo chakra está situado en la pelvis, justo encima del primero, alrededor de la zona de la glándula de la próstata o el útero. *Svadhisthana* significa literalmente «morada de uno mismo». Se representa con un loto naranja con seis pétalos. En el centro del loto hay una luna creciente plateada, que denota el elemento agua.

Físicamente está relacionado con los ovarios o los testículos, y emocionalmente trata la necesidad de encontrar tu identidad.

Los chakras

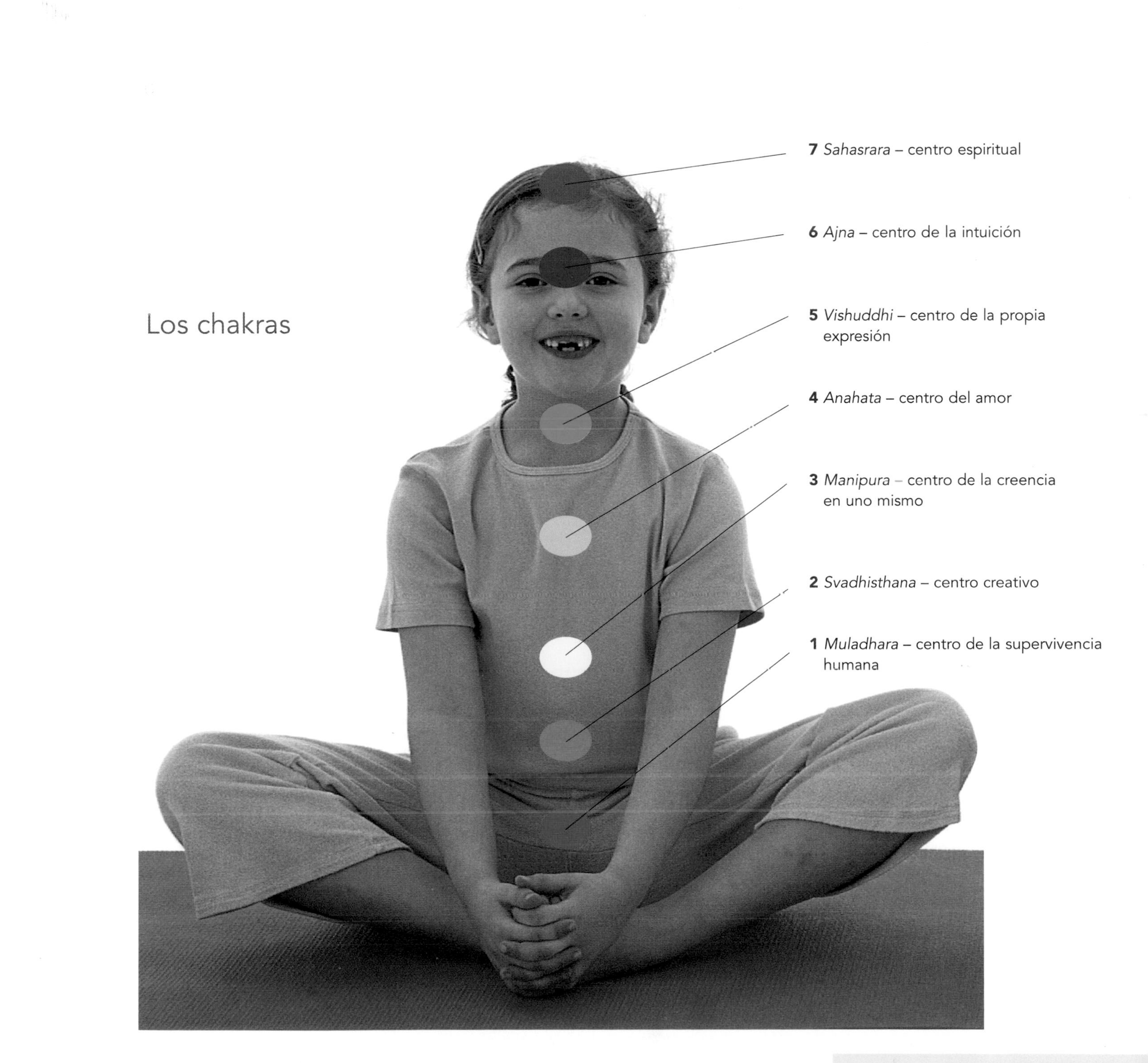
7 *Sahasrara* – centro espiritual
6 *Ajna* – centro de la intuición
5 *Vishuddhi* – centro de la propia expresión
4 *Anahata* – centro del amor
3 *Manipura* – centro de la creencia en uno mismo
2 *Svadhisthana* – centro creativo
1 *Muladhara* – centro de la supervivencia humana

Puede tratar la atracción de opuestos, cómo te relacionas con los amigos, la familia y la pareja. Es tu centro creativo y representa la fertilidad. Cuando este chakra está equilibrado, el niño está en absoluta armonía con sus sentimientos, es imaginativo y confía en las acciones de otras personas. Si está demasiado activo, puede ser excesivamente emotivo y manipulador. Si está poco activo, puede estar aburrido, mostrar desinterés y ser autocrítico.

Para equilibrar el chakra Svadisthana, practicad la postura de la mariposa (véase la página 57), el calentamiento de la rodilla contra el pecho (véase la página 38) y la postura de la silla (véase la página 67).

3 CHAKRA *MANIPURA* (PLEXO SOLAR)

Es el tercer chakra, situado en el abdomen superior detrás del ombligo, o la zona del plexo solar. Es el centro del calor y la vitalidad, la zona del cuerpo donde los alimentos se transforman en energía. *Manipura* significa literalmente «gema lustrosa» o «ciudad de joyas». Se representa como un loto de color amarillo intenso con diez pétalos. Dentro del loto hay un triángulo rojo, que simboliza el elemento del fuego.

Físicamente se asocia al páncreas, mientras que en las emociones hace referencia a la fuerza de voluntad y a la fe en uno mismo: cómo utilizamos nuestra energía creativa básica. Cuando este chakra está equilibrado, el niño se respeta a sí mismo y a los demás, es enérgico, espontáneo y muy sociable. Si está demasiado activo puede estar irritado, ser controlador o tener más carácter y ser dominante. Si está poco activo, puede ser miedoso, inseguro, muy tímido y necesitar consuelo constante.

Para equilibrar el chakra Manipura, practicad la postura de la barca con remos (véase la página 90), la bicicleta (véase la página 91) y la barca (véase la página 68).

4 CHAKRA *ANAHATA* (CORAZÓN)

Este chakra se encuentra en el centro del pecho, cerca del corazón. *Anahata* significa literalmente «sonido que no ha sido tocado» y hace referencia al ritmo vital del universo, parecido al latido del cuerpo: el pulso de la vida y el amor. Este amor es incondicional, constante y puro. El chakra se muestra como un loto azul con doce pétalos. En el centro del loto hay dos triángulos entrelazados que representan el elemento aire. Físicamente está relacionado con el timo, y en el ámbito emocional sostiene nuestras emociones potentes, como el amor, la compasión, la paciencia y la satisfacción. Cuando funciona bien, el niño es afectuoso y bondadoso, muestra compasión hacia los demás y se siente satisfecho. Si está demasiado activo, puede volverse posesivo, provocar divisiones o actuar de forma melodramática. Si está poco activo, puede ser rencoroso, cerrado emocionalmente o tener miedo al rechazo.

Para equilibrar el chakra Anahata, practicad la postura del puente (véase la página 71), el arco (véase la página 72), la cobra (véase la página 53) y la rueda (véase la página 73).

5 CHAKRA *VISHUDDHI* (GARGANTA)

Este chakra está situado en la garganta, cerca de la laringe. *Vishuddhi* significa «purificación a través de la palabra», como recitando un mantra. Se representa con un loto violeta formado por dieciséis pétalos. En el centro del loto hay un círculo blanco que representa el elemento éter, o el espacio. El chakra de la garganta se asocia a la expresión de uno mismo, y se considera el puente entre el cuerpo y la cabeza.

Físicamente corresponde a las tiroides y paratiroides, y emocionalmente es el centro de la comunicación, que nos otorga la capacidad de decir la verdad y expresar todas nuestras ideas de forma creativa. La lección del quinto chakra es ser capaz de asumir la responsabilidad de uno mismo y de las propias acciones. Cuando el chakra de la garganta está equilibrado, el niño se comunica bien, es capaz de expresarse verbalmente y está dispuesto a escuchar con atención a los demás. Si está demasiado activo, puede ser un charlatán, o un fanfarrón que siempre está hablando y tiende a exagerar. Si está poco activo, tal vez no hable mucho o no participe fácilmente en las actividades de grupo.

Para equilibrar el chakra Vishuddhi, practicad la postura de la vela (véase la página 75), el arado (véase la página 77) y el pez (véase la página 59).

6 CHAKRA *AJNA* (TERCER OJO)

El chakra Ajna está ubicado en medio de la frente. *Ajna* significa «saber», y se asocia al sexto sentido o la intuición. Se representa como un loto plateado con dos pétalos. Los dos pétalos simbolizan los dos hemisferios del cerebro que encarnan las energías masculina y femenina: una es receptiva, la otra dinámica.

Físicamente se asocia a la glándula pituitaria y a la pineal, y en el campo emocional se relaciona con la intuición, la inteligencia, la concentración y la visualización. Cuando funciona bien, el niño entiende conceptos con facilidad, está atento mentalmente y tiene una personalidad carismática que le permite hacer amigos con facilidad. Si está demasiado activo, estará distraído y será incapaz de concentrarse. Si está poco activo, tendrá poca personalidad o sufrirá algunos problemas de aprendizaje o discapacidades.

Para mejorar el chakra Ajna, practicad la postura del árbol invertido (véase la página 74), el palo en equilibrio (véase la página 65) y los ejercicios de visualización y concentración (véase el capítulo 8).

7 CHAKRA *SAHASRARA* (CORONA)

Este chakra se encuentra en la coronilla. Nos conecta con nuestra vertiente espiritual y nuestra elevada sabiduría. Se representa como un loto con mil pétalos, en el centro del cual hay un *shivalingham*, el símbolo de la conciencia pura.

Físicamente el chakra Sahasrara está relacionado con la glándula pineal, y emocionalmente se relaciona con la pureza y el espíritu. Cuando este chakra está equilibrado, el niño se halla en paz consigo mismo y tiene una personalidad magnética. Si está demasiado activo puede comportarse alocadamente, y si está poco activo puede sentirse aislado o temer cualquier cambio.

Para equilibrar el chakra Sahasrara, practicad los ejercicios de concentración y visualización (véase el capítulo 8). Aprender técnicas de meditación será muy conveniente a medida que el niño se vaya haciendo mayor.

El aura

Según el sistema occidental, el aura consiste en cinco capas o fundas etéreas. La práctica del yoga puede reconectar y armonizar estos cuerpos distintos.

La primera capa, o cuerpo, se llama «el cuerpo de la comida» o «cuerpo físico». Los alimentos que comemos afectan al cuerpo físico. Así, si hemos comido demasiado, el cuerpo está cansado y letárgico y nos cuesta concentrarnos. Además, si no hacemos ejercicio con regularidad ni cuidamos del cuerpo físico, podemos crear un desequilibrio. Las posturas de yoga enseñan a los niños a tonificar y fortalecer su cuerpo físico para mantenerse en forma y ágiles.

La segunda capa es el cuerpo de la respiración o energético. Nuestro cerebro necesita más oxígeno que ningún otro órgano del cuerpo para funcionar bien. Cuando respiramos de forma superficial desde el pecho, o si existe un bloqueo, afecta al funcionamiento de nuestras capacidades mentales y físicas. Los ejercicios de respiración del yoga enseñan a los niños a respirar desde el diafragma.

La tercera capa es el cuerpo mental, que comprende la conciencia, el subconsciente y las partes instintivas de la mente. Si tenemos la mente dispersa y distraída, es imposible concentrarse, y también afecta a la respiración, de manera que el cuerpo físico sufre. Cuando los niños practican los ejercicios de concentración (véase el capítulo 8), aprenden a centrar la mente, controlar su bienestar y a estudiar bien en el colegio y lograr sus objetivos.

La cuarta capa es el cuerpo de la sabiduría, que está relacionado con nuestra intuición y comprensión elevada, y con nuestras emociones. Así, si estamos disgustados o deprimidos tal vez nos falte un impulso interior o motivación. Las enseñanzas del yoga y las prácticas de los mantras pueden ayudar a los niños a desarrollar el crecimiento interior, equilibrar sus emociones y mantenerlas bajo control.

La quinta capa es el cuerpo de la dicha y es la capa más sutil. Cuando todos los demás cuerpos están en armonía, el quinto da lugar a la alegría, la felicidad, el amor incondicional y la plenitud, el estado ideal para todos, más aún para un niño.

Capítulo 1

Trabajar con niños

Cuando practiquéis yoga con vuestros hijos, trabajad con ellos en dos grupos de edad distintos: niños pequeños entre 3 y 6 años y niños de 7 a 11 años. Al grupo de menor edad podéis enseñarle algunas posturas de yoga divertidas para fortalecer sus músculos y estructuras óseas en crecimiento. El grupo de mayor edad está más desarrollado físicamente, así que juntos podéis intentar posturas de yoga más dinámicas.

Este capítulo os enseña a utilizar el yoga con niños más pequeños y mayores, el equipamiento y espacio que necesitáis para empezar y cómo practicar juntos de forma segura.

Yoga para niños de 3 a 6 años

Los tres años suponen un hito importante en el desarrollo de un niño. Marcan la transición de bebé a niño. Entre los 3 y los 6 años los movimientos del niño se vuelven más fluidos y coordinados, por lo que es una buena edad para vosotros como padres para introducir las posturas básicas del yoga y ampliar su gama de actividades físicas. Moverse es esencial para permitir el desarrollo del niño, los investigadores han descubierto que conecta todas las funciones cerebrales y abre los canales de comunicación entre los hemisferios izquierdo y derecho, lo que a su vez ayuda al cerebro a crecer con normalidad.

Entre los 3 y los 6 años los niños se vuelven más aventureros y empiezan a sentirse cómodos con gente y lugares nuevos. Empiezan a colaborar entre sí, de modo que es muy importante trabajar en grupo con otros niños en esta etapa. Organizar sesiones informales de yoga en casa puede ser una actividad de grupo divertida para los niños en edad preescolar, y fortalece sus músculos y estructuras óseas en desarrollo. También podéis potenciar su vocabulario inventando algunos cuentos de yoga, y ayudándoles a aprender los nombres de los animales (véase el capítulo 3).

Los niños de esta edad tienen una capacidad de atención de unos 8-10 minutos, así que haced una pausa breve cada diez minutos. Solo entienden instrucciones básicas de dos pasos, como «levanta los brazos y mueve los dedos»; procurad que las indicaciones sean breves y sucintas. No es importante perfeccionar las posturas en el caso de los niños pequeños, es mucho mejor que investiguen y amplíen el rango de movimientos con el espíritu de juego del yoga. Introducir el juego en los movimientos del yoga es un método de enseñanza eficaz que funciona bien con todos los niños. Dado que se aburren con facilidad, cread siempre sesiones breves y variadas —unos veinte minutos es suficiente— y aseguraos de que no mantengan la postura demasiado tiempo.

Conservar la seguridad

Al practicar yoga con niños pequeños, es muy importante asegurarse de que no haya objetos punzantes alrededor, ni muebles contra los que golpearse. Dejadles usar una colchoneta de yoga o una alfombra para amortiguar las caídas.

Desarrollar el cuerpo

En este grupo de edad el sistema nervioso aún está en desarrollo, así que tal vez veáis que los niños a menudo explotan en rachas de movimientos caóticos, eso está bien. No intentéis controlarlo ni esperéis que sigan las posturas a la perfección, dejadles divertirse un poco. A los niños pequeños les gusta repetir una postura, así que no hay necesidad de limitar las veces que la practican.

Primer desarrollo

Para captar la imaginación de los niños pequeños, convertid la sesión de yoga en una experiencia de aprendizaje completo. Dejadles utilizar los sentidos: introducid música, un mantra sencillo o canto, y permitidles usar instrumentos de percusión (véase el capítulo 8). No tenéis por qué utilizar los mantras del yoga tradicional en sánscrito, inventad algunos divertidos. Enseñadles a salmodiar vocales o a repetir canciones infantiles sencillas. Sed imaginativos, cread cuentos sencillos o utilizad sus libros favoritos para incorporar las diferentes posturas de animales u objetos (véanse los capítulos 3 y 4) que se muestran en este libro. Estas técnicas también ayudarán a los niños a ampliar su vocabulario, ya que al repetir las posturas recordarán los animales que están imitando.

Juegos de yoga

Jugad a juegos como las estatuas musicales, pero cuando pare la música, haced que el niño adopte una postura de yoga. Otra opción es fingir que tú o uno de los niños es un mago como el personaje literario de Harry Potter, que puede convertirlos en diferentes objetos con su varita mágica.

La postura del árbol (véase la página 62) es ideal para enseñar a los niños pequeños el equilibrio y la coordinación.

Yoga para niños de 7 a 11 años

En la India se introducía el yoga en serio a niños y niñas a la edad de ocho años. Se considera el momento en que empieza la pubertad y se inicia el viaje hacia la edad adulta. En Occidente a partir de esta edad la clase de yoga puede ser más estructurada.

Yoga más formal

Las asanas dinámicas, en las que se mezclan una serie de posturas distintas, como el saludo al sol (véanse las páginas 82-84) y el guerrero (véanse las páginas 88-89) se pueden enseñar a niños mayores, junto con posturas más complejas. Cuando un niño tiene ocho años, los alvéolos pulmonares están completamente formados, aunque los pulmones seguirán aumentando de tamaño. Así, es una buena edad también para introducir los ejercicios de respiración, como la respiración relajante (véase la página 106), y sincronizar la respiración con los movimientos de yoga.

Disfrutar de las posturas

Es importante no insistir en que los niños hagan las posturas perfectas ni ser demasiado crítico con su ejecución, ya que se desaniman con facilidad. Intentad crear una atmósfera agradable en la sesión de yoga y fomentad el equilibrio energético entre la excitación y la atención. Evaluad el nivel de energía de los niños. Si tienen mucha energía y están muy inquietos, haced que practiquen algunos ejercicios relajantes, como la concentración y la respiración. Si los niños están aburridos o faltos de energía, que hagan algunas posturas dinámicas como el saludo a la luna (véanse las páginas 85-87) para animarles. Practicar yoga con regularidad permite a los niños controlar su propia energía, y será de gran ayuda cuando pasen períodos de tensión en el colegio. Los ejercicios de concentración y respiración centran la mente, y las diferentes posturas alivian la tensión acumulada, de modo que estarán más relajados cuando hagan pruebas o exámenes.

El poder del cerebro

Tal y como mencionamos en el capítulo anterior, el cerebro está dividido en dos hemisferios: el izquierdo y el derecho. La parte izquierda es lógica y racional, y la derecha es intuitiva y creativa. El aprendizaje que un niño realiza en el colegio desarrolla principalmente el hemisferio izquierdo: los aspectos lógicos, racionales y lineales de la mente. Las actividades creativas, como el movimiento, la danza, la educación física y el arte se están reduciendo o eliminando del currículo, así que el lado derecho del cerebro no tiene el mismo tipo de progreso.
En el yoga, ambos hemisferios se consideran de igual importancia para el desarrollo completo y equilibrado de un niño. En un estudio reciente los investigadores observaron los efectos de la meditación, la respiración y el ejercicio, así como las técnicas de respuesta biológica del cerebro. Descubrieron que cuando la mente está unida y relajada, el cerebro asimila el conocimiento en un nivel subconsciente más profundo y la capacidad de aprendizaje se acelera. Por lo tanto, practicar yoga ayuda a los niños a alcanzar su máximo potencial.

Una experiencia holística

Intentad convertir cada sesión de yoga en una experiencia de aprendizaje global utilizando todos los sentidos. Dejad que los niños aprecien el tacto de una manta suave durante la relajación. Quemad aceites esenciales aromáticos para estimular el sentido del olfato, e incluid algún elemento visual como un yantra, que es un diagrama geométrico utilizado en la India para detener y calmar la mente (fotocopiadlo de un libro). Durante la relajación animad a los niños a observar los sonidos que los rodean, como el canto de los pájaros o un avión que pasa volando. Eso les ayudará a agudizar el oído y la atención. Dejad que los niños mayores y con más experiencia enseñen posturas a sus hermanos pequeños, para que mejoren su rendimiento y aprendan a ser tolerantes y pacientes. Trabajar con niños en círculo o hacerles practicar posturas en parejas también puede ayudar a desarrollar una mentalidad de grupo positiva.

Los niños mayores mantienen la atención más tiempo y son más resistentes para probar posturas como la de la vela (véase la página 75)

Cómo empezar

Este capítulo trata algunos puntos importantes que es necesario que sepáis al hacer yoga en casa con vuestros hijos. Animad a los niños a concentrarse al hacer las posturas para que no se exciten demasiado. Calmadlos al principio con un ejercicio de relajación sencillo (véase la página 115), seguido de un ejercicio en grupo como el de la flor de loto (véase la página 98) para que trabajen juntos. Si conoces poco el yoga, toma algunas clases con un profesor cualificado antes de empezar a practicar con tus hijos en casa.

Antes de empezar la sesión, comprueba que haya espacio suficiente para moverse. Revisa que tengáis todo el equipamiento o los utensilios a mano para que los niños disfruten de una sesión de yoga divertida.

Dónde practicar

- Cread un espacio abierto y despejado, dentro o fuera de casa, para la sesión de yoga. No debe haber objetos punzantes, muebles, porcelana ni otros objetos frágiles.
- Debe ser un lugar tranquilo, sin distracciones como la televisión, teléfonos u otras personas. Comprobad que la temperatura sea cálida y bajad las persianas para evitar la luz solar directa.

Qué ropa llevar

- La ropa holgada, cómoda o elástica es la mejor (véase a la derecha). Evitad las prendas demasiado anchas, de lo contrario os veréis envueltos en rollos de tela cuando practiquéis.
- Hay que descalzarse, pero si un niño tiene una verruga, dejadle llevar calcetines.
- Quitaos relojes, joyas o gafas. Si un niño se siente incómodo sin las gafas, dejad que se las ponga, pero que se las quite en las posturas en las que esté boca abajo.

Equipamiento

- Las mejores superficies para practicar yoga son una colchoneta de yoga de goma, una alfombra o una toalla.
- Los bloques de yoga pueden ser útiles si hay que modificar alguna postura, o si un niño necesita ayuda.

- Utilizad otros accesorios, como los peluches en los ejercicios de respiración (véase la página 105), la flor o concha para los ejercicios de concentración (véase la página 112), además de papel y lápices de colores para dibujar después de la visualización (véase la página 112).
- Para las sesiones de mantras animados y cantos (véase la página 113) serán necesarios instrumentos musicales, como panderetas, maracas y tambores.

Cuando los niños estén practicando las posturas, estad siempre presentes para ayudarles a adoptar la posición. Dejadles mantener la postura solo un poco, y que no fuercen en ningún momento.

Cuándo hacer yoga

- Dejad pasar por lo menos dos horas después de una comida antes de practicar yoga. Tal vez los niños quieran comer durante la sesión (las posturas despiertan el apetito), pero prohibid los tentempiés hasta el final de la clase, ya que pueden provocar indigestión.
- Empezad con una sesión de yoga de 15 minutos, y aumentad hasta 20 minutos. Intentad hacer las sesiones con regularidad, unas dos o tres veces por semana, para crear una rutina.

Cómo practicar yoga de forma segura

- Haced siempre estiramientos para calentar durante unos 5-10 minutos (véase el capítulo 2), y luego pasad a posturas fáciles, intermedias y más avanzadas, pero haced que sean divertidas y agradables.
- También podéis utilizar los programas específicamente diseñados para niños pequeños y mayores que os ofrecemos al final del libro (véanse las páginas 116-127).
- Finalizad la sesión con posturas más sencillas, ejercicios de respiración o concentración y un tiempo de relajación (véanse los capítulos 7 y 8), para que los niños se vayan relajados en vez de sobreexcitados.
- *Asana* significa «asiento cómodo» o «fijo», así que es importante que el niño nunca fuerce los músculos en una postura o sobrepase sus límites.
- Vigilad si hay señales de que un niño contiene la respiración o se pone en tensión durante una postura y decidle que siga respirando y se relaje.
- La respiración debe ser siempre por la nariz, a menos que el niño la tenga tapada.

- Motivad a los niños a reírse durante las sesiones, ya que así se alivia la tensión nerviosa.
- Si un niño se queja de dolor en alguna postura, que deje de hacer el ejercicio inmediatamente.
- Dejad que el niño descanse en cualquier momento de la clase en advasana (tumbado boca abajo), el sueño yogui (tumbado boca arriba, véase la página 115) o la postura del niño (encogido hacia delante con los brazos a los lados, véase la página 74).
- Después de practicar posturas en las que se dobla la espalda, como el arco y la rueda, enseñadle a hacer una flexión hacia delante sencilla, como la postura del niño, para aliviar la tensión en la espalda. En las posturas en las que se dobla hacia delante, como la navaja, que flexionen la espalda en un movimiento sencillo, como la postura de la mesa (véase la página 66), para aliviar la tensión en la columna.
- La postura de la vela y del pez (véanse las páginas 75 y 59) pueden poner en tensión el cuello y los hombros, así que haced que los niños roten la cabeza con suavidad de lado a lado para aliviarla.
- Para evitar daños, decidles que pasen de una postura a la siguiente despacio y con cuidado.
- Haced que los niños practiquen cada postura poco tiempo, y luego repetidla.
- Vigilad que los niños mantengan las articulaciones un poco flexionadas para desarrollar el músculo, en vez de estirar demasiado una articulación.
- En todas las posturas enseñad a los niños a estirar la espalda.

Capítulo 2

Calentamiento

Los siguientes ejercicios ayudan a calentar el cuerpo para que los niños se sientan preparados para iniciar la sesión de yoga. Practicar estos sencillos movimientos durante 5-10 minutos antes de empezar con las posturas desentumece las principales articulaciones y calienta los músculos, de modo que se evitan daños. Aseguraos de que nunca intenten forzar una articulación en la dirección contraria ni estiren demasiado un músculo.

Haced que sea una sesión agradable: podéis cantar juntos una canción inventada de anatomía, «el hueso del tobillo está conectado con el hueso de la rodilla, el hueso de la rodilla está conectado con el hueso del muslo», para que los niños entiendan lo que están haciendo.

Mover el esqueleto

Para calentar todo el cuerpo y soltar las articulaciones y la energía nerviosa acumulada antes de la sesión de yoga, haced este ejercicio. Es más divertido, si os movéis al ritmo de la música.

Poneos de pie en la colchoneta, sacudid las muñecas para soltarlas y moved las manos. Caminad sin moveros del sitio, levantando las rodillas todo lo que podáis hacia el pecho. Estirad un pie hacia fuera y rotadlo, luego repetidlo con el otro. Seguid moviéndoos hasta que os notéis más flexibles.

La muñeca de trapo

El yoga alivia la tensión y provoca una sensación de paz durante las posturas. Si una postura es forzada, no tendrá efectos positivos. Este calentamiento ayuda a los niños a relajarse.

Poneos de pie erguidos en la postura de la montaña (véase la página 62) en la colchoneta. Meted la barbilla hacia el pecho e inclinaos despacio hacia delante y hacia abajo, intentando bajar una vértebra cada vez. Relajad los brazos y el cuello hacia el suelo, luego moved con suavidad la cabeza arriba y abajo y de lado a lado. Balanceaos con suavidad a los lados, imaginad que el tronco es como la trompa de un elefante que se mece con la brisa. Erguid la columna despacio y levantad la cabeza en último lugar. **Respiración**: respirad de forma regular todo el tiempo.

Beneficios

La muñeca de trapo es una flexión relajante que estimula el cerebro y estira la espalda.

Círculo de molino

Calentad el torso imitando la acción de un molino, formando círculos con los brazos hacia delante y hacia atrás.

Colocaos erguidos en la colchoneta en la postura de la montaña (véase la página 62), con los pies separados a la altura de la cadera.

Inspirar: moved los brazos despacio en círculos, arriba y por encima de la cabeza, con los hombros relajados.

Espirar: seguid formando círculos todo el tiempo, dejando que los brazos se muevan con naturalidad hacia los lados y por detrás, hasta que volváis a la posición de inicio. Repetid dos veces en una dirección y dos en la dirección contraria. Haced que los círculos sean suaves y fluidos, como un molino en funcionamiento. A los niños les divierte intentar rotar los brazos en distintas direcciones.

Beneficios

El movimiento en círculo de los brazos lubrica las articulaciones de los hombros y alivia la rigidez de la espalda y el cuello.

Rotaciones de cabeza

1

La cabeza pesa mucho, constituye una octava parte de todo el peso corporal. Las rotaciones de cabeza ayudan a soltar los músculos tensos del cuello y los hombros.

1 Sentaos erguidos con las piernas cruzadas en la colchoneta, con los hombros relajados y los brazos apoyados en las rodillas.

Inspirar: mirando al frente, meted hacia dentro la barbilla ligeramente, estirad la nuca y bajad la oreja derecha hacia el hombro derecho. Aguantad unos segundos, luego **espirad** y colocad la cabeza en el centro.

2 **Inspirar:** rotad la cabeza, bajad la oreja izquierda hacia el hombro izquierdo. Aguantad unos segundos, luego **espirad** y volved al centro.

3 **Inspirar:** meted la barbilla y doblad la cabeza hacia delante contra el pecho, manteniendo la espalda y los hombros rectos. Aguantad unos segundos, luego **espirad** y descansad hasta volver al centro.

Estiramiento lateral del brazo

1 Sentaos en la colchoneta con las piernas cruzadas. Colocad la palma izquierda en el suelo, a unos 30 cm de las caderas, con los dedos hacia fuera. **Inspirar:** estirad el brazo derecho hacia un lado e inclinadlo de manera que la palma mire al suelo. **Espirar:** estiraos sobre el costado izquierdo con el brazo cerca de la oreja derecha. Estirad el codo hacia dentro al estiraros. Aguantad un momento, luego volved al centro.

2 Repetid el estiramiento al otro lado, estirad hacia la derecha con el brazo izquierdo.

Beneficios

Este estiramiento calienta la columna y los músculos del tórax, que ayudan a respirar con mayor facilidad.

1

2

Flexión de hombros

Flexionar los hombros alivia la tensión en los músculos de la parte superior de la espalda, el cuello y los hombros.

Sentaos con las piernas cruzadas en la colchoneta. **Inspirar:** relajad los brazos y levantad los hombros hacia las orejas.
Espirar: relajadlos de nuevo hacia abajo. Repetid varias veces.

Estiramiento de las palmas

1

1 Sentaos en la colchoneta con las piernas cruzadas. **Inspirar:** entrelazad los dedos, girad las palmas hacia fuera y estirad los brazos.

2 Con los brazos estirados y los codos rectos, levantadlos hasta estirarlos a la altura de los hombros para soltar la parte superior de la espalda.

3 **Espirar:** estirad los brazos por encima de la cabeza y abrid las palmas hacia el techo, con el cuello y los hombros relajados. Estirad los dos lados del torso. Aguantad un momento y relajaos.

2

3

Rotaciones del pie

Este calentamiento estimula las miles de terminaciones nerviosas de los pies, lo que beneficia a todo el cuerpo. Puede que incluso sintáis que «vibran» después de este ejercicio.

Sentaos en la colchoneta con las piernas estiradas al frente. Colocad las manos en el suelo justo por detrás de las nalgas para apoyaros. Rotad un pie cada vez. Imaginad que dibujáis círculos en el aire con el pie. Rotad cada pie en una dirección y luego en la otra. Repetid varias veces.

Estiramientos de piernas

Los músculos de las piernas soportan el peso del cuerpo, así que este estiramiento para calentar los mantendrá fuertes y tonificados. Es más divertido hacerlo con un compañero.

1

2

3

4

1 Sentaos con la espalda recta en la colchoneta, con las piernas estiradas y abiertas a los lados. Colocad los dedos de los pies hacia arriba. **Inspirar:** estirad los brazos hacia arriba por encima de la cabeza con las palmas hacia fuera, y alargad y estirad la columna.

2 **Espirar:** inclinaos a un lado y sujetaos el pie o el tobillo izquierdo con la mano. Estirad el brazo derecho hacia fuera y hacia arriba, junto a la oreja derecha. Estirad el costado derecho del torso y extended la mano izquierda hacia el pie izquierdo, con el torso hacia delante. Aguantad unos segundos, luego volved al centro.

3 Repetid el movimiento estirando el brazo hacia el lado derecho de la misma manera que en el paso 2.

4 **Inspirar:** inclinaos hacia delante y colocad las manos delante en el suelo. Estirad la columna e inclinaos despacio hacia delante.

5 **Espirar:** doblaos hacia delante lo máximo que podáis con comodidad y colocad la frente hacia el suelo.

5

Rodilla al pecho

Este calentamiento es divertido, sobre todo en grupo, y trabaja los músculos de la espalda y las piernas mientras estáis estirados.

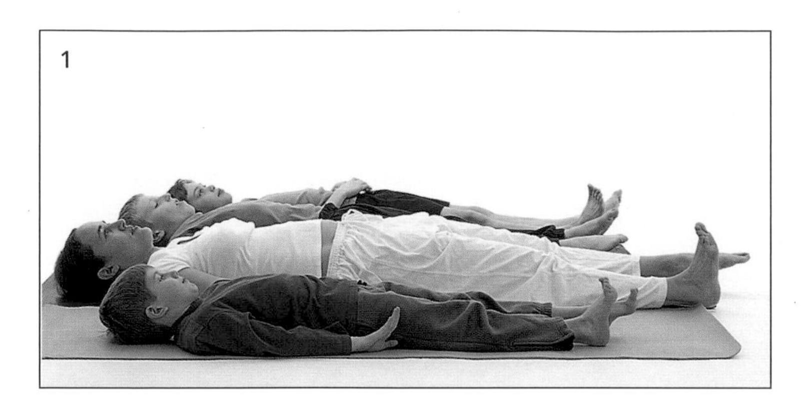
1

1 Tumbaos boca arriba en la colchoneta con los pies juntos.

2

2 **Inspirar:** levantad la pierna izquierda y doblad la rodilla. Abrazaos la rodilla flexionada contra el pecho. Mantened la pierna derecha recta empujando hacia dentro el talón derecho.
Espirar: intentad empujar la zona lumbar hacia abajo, hacia el suelo. Relajad la cabeza y el cuello y aliviad la tensión de la mandíbula. Aguantad un momento, luego repetidlo con la pierna contraria.

3 **Inspirar:** levantad las dos piernas y doblad las rodillas contra el pecho. Mantenedlas juntas, agarraos de las espinillas y abrazaos fuerte las dos rodillas contra el pecho. Intentad mantener la cabeza y la zona lumbar en contacto con el suelo. Aguantad un momento.
Espirar: soltad las espinillas y sujetaos la parte superior de la rodilla suavemente con las dos manos. Moved las rodillas en círculo en una dirección y luego en la otra para masajear con suavidad el sacro en la parte inferior de la espalda.

3

Beneficios

Al abrazarnos las rodillas estiramos la columna y aumentamos la flexibilidad de las caderas. Si empujamos los muslos contra la pelvis se estimula la digestión.

Bebé feliz

Esta postura os hará reír: imita la manera en que los niños juegan con los pies en la cuna.

1 Estiraos boca arriba en una colchoneta con los pies juntos. **Inspirar:** levantad las dos piernas y doblad las rodillas. Sujetaos las plantas de los pies con las manos.

2 Separad las rodillas. **Espirar:** empujad las plantas de los pies hacia vosotros y estirad las rodillas hacia el suelo junto a las axilas. Rodad suavemente de lado a lado.

3 Juntad las plantas de los pies y empujad los pies hacia la cabeza. Levantad la cabeza y, con cuidado, intentad tocaros los pies con ella.

Giro con las piernas cruzadas

Sentaos con las piernas cruzadas en la colchoneta. **Inspirar:** girad con suavidad hacia la derecha, con la mano izquierda sobre la rodilla derecha. **Espirar:** colocad la mano derecha en el suelo detrás del cuerpo, y utilizad las manos para girar el torso. Mantened la espalda recta. Aguantad un momento y luego relajad la postura y repetid al otro lado.

Beneficios

Esta postura calienta el cuerpo y da flexibilidad a la espalda.

Sentados en un taburete, giro lateral

Sentarse en un taburete para realizar este sencillo giro ayuda a mantener la espalda recta y erguida mientras se gira de lado a lado.

1

1 Sentaos en un taburete pequeño y colocad los pies y las rodillas separados a la altura de la cadera. Apoyad ambas manos en las rodillas.

2 **Inspirar:** girad con suavidad a la derecha y colocad la mano izquierda en la parte exterior de la rodilla derecha. Agarraos a la parte trasera del taburete con la mano derecha.
Espirar: intensificad el giro de la columna presionando contra la parte exterior de la rodilla derecha y empujando contra el taburete con la mano derecha. Iniciad el giro desde la base de la columna, girando la cadera, la cintura, el pecho y finalmente los hombros al tiempo que miráis por encima del hombro derecho. Mantened el cuello y los hombros relajados. Aguantad un momento, luego volved al centro.

2

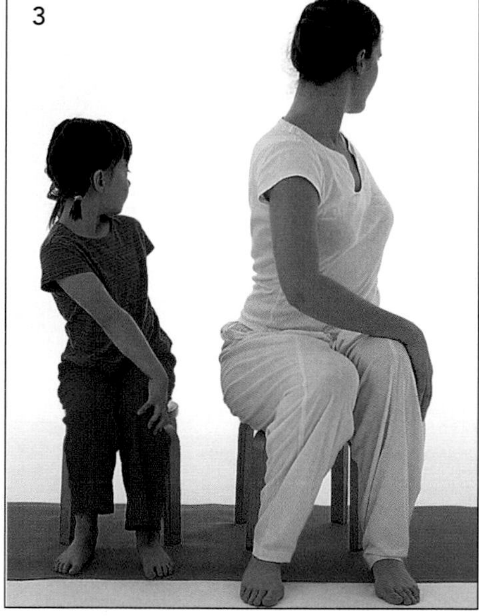
3

3 Ahora girad a la izquierda y repetid el giro con suavidad en el lado contrario para equilibrar el cuerpo.

Giro lateral tumbado

Al tumbarnos se alivian las presiones de la columna, lo que ayuda a realizar el movimiento de giro.

1 Tumbaos boca arriba en la colchoneta con los brazos a los lados y las rodillas flexionadas.

2 **Inspirar:** doblad las dos rodillas contra el pecho. Estirad los brazos hacia los lados con las palmas hacia el suelo. Relajad el rostro.

3 **Espirar:** colocad las rodillas en el lado derecho, girando desde la cintura. Mantened el hombro izquierdo en el suelo. Girad la cabeza para mirar por encima del hombro izquierdo. Relajad el cuello y soltad la espalda. Aguantad un momento, luego colocad las piernas en el centro.

4 Colocad las rodillas a la izquierda y repetid el giro a ese lado.

Beneficios

Este calentamiento es muy bueno si tienes la espalda un poco contracturada o dolorida.

Capítulo 3

Posturas de animales

A los niños les encantan los animales. Disfrutan yendo al zoo y a la granja para ver y acariciar a las diferentes criaturas. ¿Qué mejor manera de aumentar los conocimientos del niño sobre el reino animal que ponerse a cuatro patas e imitar a un gato, por ejemplo? Haced que los niños observen a una mascota familiar y vean cómo come, se mueve, se estira y descansa. Dejadles escuchar los sonidos que emite y luego comprobad si saben imitarlos.

Utilizad estas posturas de forma creativa en una sesión de yoga divertida que, sobre todo a los niños pequeños, les encantará. Inventad historias de animales que puedan imitar o describid un viaje imaginario al zoo o a la granja.

Postura del perro mirando hacia abajo

El perro es uno de nuestros más antiguos compañeros. Son fieles, juguetones y muy cariñosos. Podemos aprender mucho de este animal. ¿Habéis observado cómo se estira después de una siesta? A continuación conoceréis esa sensación.

1

1 Poneos a gatas en la colchoneta y colocad las manos debajo de los hombros, con las rodillas debajo de las caderas.

2 **Inspirar:** colocad los dedos de los pies debajo, empujad con las palmas de la mano, levantad la cadera y la espalda y estirad la columna. **Espirar:** poned los brazos rectos, así como las rodillas, y estirad los talones hacia el suelo. Mirad hacia atrás entre los pies. **Respiración:** respirad de forma regular. Estiraos del todo y de forma intensa y luego volved a descansar a gatas.

CONSEJO PARA LOS NIÑOS
Puedes imitar algunos sonidos de los perros, como ladridos o gemidos, cuando estés en esta postura.

Beneficios

La postura del perro fortalece los brazos y las piernas, e intensifica la circulación de la sangre en la cabeza. Puede ayudar a corregir la espalda.

2

Postura del gato

Los gatos son ágiles, flexibles y elegantes. Aprended de ellos para manteneros ágiles. Saben descansar mucho y mantenerse calientes y cómodos para que no se les entumezcan los músculos.

1 Empezad a cuatro patas como un gato en la colchoneta. Colocad las manos justo debajo de los hombros y estirad los dedos. Mantened las rodillas alineadas con la cadera y los dedos de los pies hacia atrás.

2 **Inspirar:** levantad la rabadilla hacia el techo para que la zona lumbar adopte una forma cóncava. Al hacer este movimiento, la cabeza se levantará de forma natural hacia el techo.

3 **Espirar:** arquead la espalda e inclinad la cabeza hacia el pecho. Estirad la espalda todo lo alto que podáis y empujad la rabadilla hacia abajo. Meted la cabeza hacia dentro, con la barbilla hacia el pecho. Repetid los pasos 2 y 3 varias veces o hasta que os canséis. Haced que los movimientos sean lo más fluidos posible.

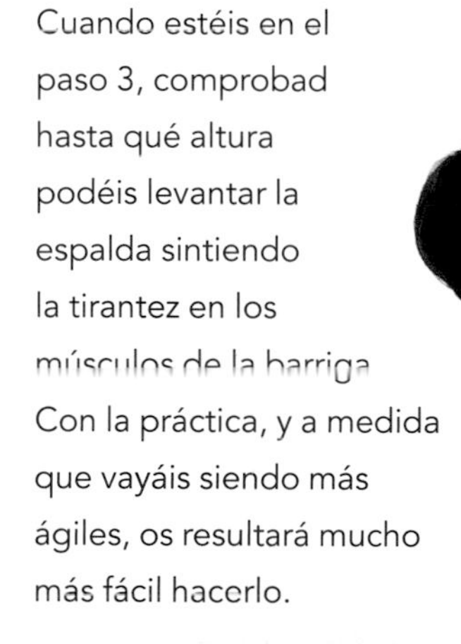

Cuando estéis en el paso 3, comprobad hasta qué altura podéis levantar la espalda sintiendo la tirantez en los músculos de la barriga. Con la práctica, y a medida que vayáis siendo más ágiles, os resultará mucho más fácil hacerlo.

CONSEJO PARA LOS PADRES

Si vuestro hijo se cansa haciendo esta postura, que se relaje con la postura del niño (véase la página 74) y descanse un momento antes de repetir el ejercicio.

Postura del tigre

Los tigres parecen gatos grandes y más fuertes, pero son cazadores mucho más feroces. ¿Habéis notado en el zoo que caminan como un gato doméstico?

1 Poneos a gatas y colocad las manos debajo de los hombros y las rodillas de manera que queden debajo de las caderas.

2 **Inspirar:** arquead la espalda y doblad la cabeza hacia abajo, hacia el pecho. Estirad la columna a lo alto y doblad la rodilla derecha hacia el pecho. Intentad tocaros la cabeza con la rodilla.

2

3 **Espirar:** dejad caer la barriga hacia el suelo. Presionad las manos contra el suelo y levantad el pecho y la cabeza. Al mismo tiempo moved la pierna derecha hacia arriba y hacia atrás. Mantened la rodilla doblada y con los dedos de los pies hacia la cabeza. Repetid los pasos 2 y 3 con la pierna izquierda. Descansad hacia delante en la postura del niño (véase la página 74).

Beneficios

La postura del tigre tonifica la columna, aumenta la flexibilidad de la cadera y fortalece los muslos y las nalgas.

Postura del león

Los leones son otros miembros de la familia felina, junto con los gatos y los tigres. El rugido de un león se oye a ocho kilómetros de distancia. Vamos a aprender a rugir como un león.

Sentaos sobre los talones en la colchoneta con las rodillas separadas. Colocad las manos en el suelo con las puntas de los dedos hacia el cuerpo. Inclinaos hacia delante.
Inspirar: inclinad la cabeza hacia atrás.
Espirar: sacad la lengua y rugid con fuerza como un león. Repetidlo 2-6 veces.

Postura de la cara de vaca

En la India las vacas son sagradas, y se veneran por su paciencia y tolerancia. También nos alimentan con su leche. Esta postura se llama «cara de vaca» porque la forma de las rodillas recrea el rostro de una vaca, donde los pies son los cuernos.

1

1 Sentaos en la colchoneta con las piernas estiradas. Flexionad las rodillas y colocad las plantas de los pies en el suelo.

2 **Inspirar:** flexionad la pierna izquierda y colocadla por debajo de la derecha. Colocad el talón sobre el suelo junto a la cadera derecha.

2

3

3 **Espirar:** flexionad la pierna derecha por encima de la izquierda para que el talón quede alineado con la cadera izquierda. Las rodillas deberían quedar una encima de la otra.

4 **Inspirar:** levantad el brazo derecho y estiradlo todo lo que podáis.

4

5 **Espirar:** flexionad el codo derecho y estirad la mano derecha por detrás de la nuca. Doblad el brazo izquierdo por detrás de la espalda a la altura de la cintura. Unid los dedos de las manos detrás de la espalda, si podéis. Mantened la cabeza y el cuello rectos. **Respirar:** mantened la respiración regular y aguantad un poco la postura. Repetid los pasos con el brazo y la pierna contrarios.

5

Postura del águila

Las águilas avistan a sus presas a kilómetros de distancia con su poder de concentración; practicad la postura del águila para aumentar la atención y el equilibrio. Es difícil de dominar, pero vale la pena.

1 Poneos de pie erguidos en la postura de la montaña (véase la página 62). **Inspirar:** fijad la mirada en un punto frente a vosotros para ayudaros a mantener el equilibrio, luego levantad los brazos por encima de la cabeza.

2 Colocad los brazos en un movimiento circular a los lados y rodead el brazo derecho por debajo del izquierdo.

3 **Espirar:** entrelazad los brazos y ponedlos en posición para que las palmas se toquen.

4 Doblad los codos para unir las palmas enfrente de la nariz.

5 **Inspirar:** flexionad las rodillas ligeramente y levantad el muslo izquierdo por encima del derecho.

Espirar: colocad el pie izquierdo detrás de la pantorrilla derecha. Intentad mantener las rodillas y los codos alineados en el centro del cuerpo. Aguantad un momento, soltad y repetidlo al otro lado.

Postura de la paloma

Como las palomas tienen un instinto para la búsqueda muy desarrollado, se utilizaron para llevar mensajes recorriendo largas distancias. El pecho orgulloso y henchido de la paloma constituye la parte principal de la ejecución de la postura.

1

Beneficios

La postura de la paloma aumenta el flujo sanguíneo hacia la zona inferior de la columna. Estimula las glándulas tiroides, paratiroides, suprarrenales y reproductoras

1 Empezad a gatas en la colchoneta. Colocad las manos debajo de los hombros y las rodillas debajo de las caderas.

2

3

2 **Inspirar:** deslizad la rodilla derecha hacia delante entre las manos. Colocad la pierna izquierda recta atrás, hasta que la cadera izquierda y el talón derecho estén alineados.
Espirar: empujad con las manos y levantad e inflad el pecho. Mirad hacia arriba, con los hombros abajo y la espalda arqueada. Seguid estirando la pierna izquierda hacia atrás. Aguantad un momento, luego relajaos y repetidlo en el otro lado.

3 Relajad la postura y descansad hacia delante en la postura del niño para aliviar la tensión de la zona lumbar.

El mono

Esta postura es más conocida como el spagat. Imita la capacidad del mono de saltar de un árbol a otro balanceándose con los brazos.

1

1 Empezad arrodillados en la colchoneta.
Inspirar: estirad la pierna derecha hacia delante con el talón tocando el suelo. Inclinaos un poco hacia delante y colocad las palmas de las manos en el suelo a los lados de la pierna estirada.

2

2 **Espirar:** deslizad despacio la pierna derecha hacia delante y la pierna izquierda recta hacia atrás hasta que hagáis el spagat completo. Otra opción es llegar lo más lejos posible. Si estáis cómodos, levantad los dos brazos por encima de la cabeza y estiradlos hacia arriba. Mantened esta posición un momento, luego relajaos y repetidla con la otra pierna.

Postura del camello

Los camellos son conocidos como los «barcos del desierto», ya que el agua almacenada en las jorobas les permite resistir días sin beber y pueden transportar cargas pesadas durante kilómetros. Experimentad lo que se siente al ser un camello.

Empezad arrodillados en la colchoneta.
Inspirar: levantad el cuerpo de los talones de manera que quedéis en equilibrio sobre las rodillas. Separad las rodillas a la altura de la cadera y estirad los dedos de los pies.
Espirar: levantad el pecho como si fuera la joroba de un camello y mirad hacia atrás. Estiraos y agarraos los tobillos con las manos. Seguid arqueando la espalda, con el pecho levantado, y empujando suavemente las caderas hacia delante. Manteneos estirados unos segundos, luego sujetaos la zona lumbar con las manos y volved despacio a una posición erguida.

Postura de la rana

Las ranas son anfibios, por lo que viven tanto en el agua como en tierra. Tienen unas patas traseras grandes y fuertes para poder saltar de una hoja de nenúfar a otra. ¡Comprueba lo alto que puedes saltar!

1

1 Poneos de pie con los pies separados a la altura de las caderas en la colchoneta. **Inspirar:** manteniendo el equilibrio en los pies, agachaos y acercaos al suelo. Poned las manos en posición de rezo —namaste— delante del pecho. Podéis presionar las rodillas hacia fuera y a los lados con los codos para estirar más las caderas. Aguantad un momento.

2 **Espirar:** saltad todo lo alto que podáis en el aire, como una rana. Repetid la postura varias veces para ver hasta dónde podéis saltar.

Beneficios

La postura de la rana tonifica los órganos abdominales y alivia el dolor de espalda.

2

Postura del cuervo

Los cuervos son inteligentes. El color negro hace que se puedan reconocer fácilmente entre sí, y les protege de los depredadores por la noche. Para realizar la postura, convertid los brazos en alas de cuervo. Aprended esta postura en una clase de yoga antes de practicarla en casa.

1

CONSEJO PARA LOS PADRES
Colocad una almohada en el suelo por si pierde el equilibrio y cae hacia delante.

1 Agachaos en la colchoneta y colocad las manos delante en el suelo, separados a la altura de los hombros. Estirad los dedos a lo ancho para imitar las patas de un cuervo. **Inspirar:** doblad los codos hacia atrás y apoyad las espinillas en el brazo, con las rodillas cerca de las axilas.

2 **Espirar:** cambiad el peso del cuerpo hacia delante y levantad los pies del suelo. Mantened la cabeza alta y mirad hacia arriba, de lo contrario podéis caeros. Aguantad un poco y relajaos.

Beneficios

La postura del cuervo fortalece los brazos y mejora la concentración.

Postura de la cobra

Las cobras son serpientes venenosas que utilizan su columna vertebral incluso para subir árboles. Cuando una cobra se siente amenazada, silba, se yergue y aplana los nervios del cuello para formar un sombrerete. Podéis practicar esta postura de la cobra.

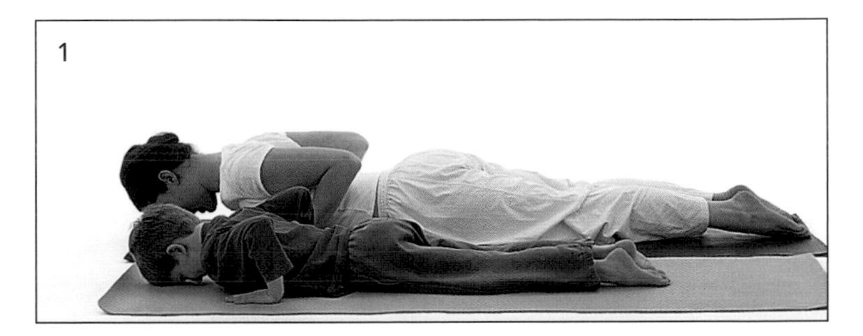
1

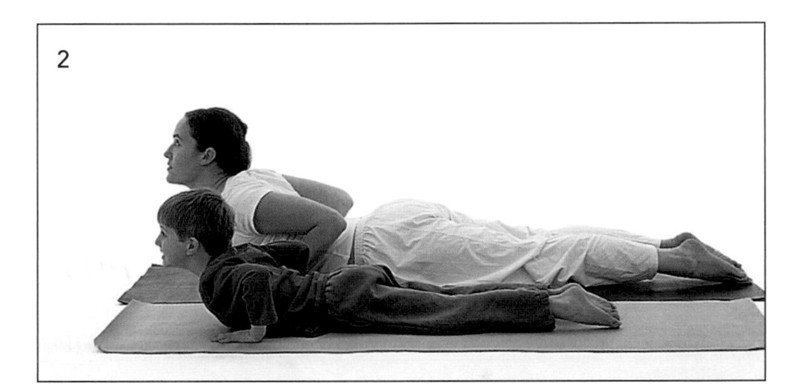
2

1 Tumbaos boca abajo en la colchoneta.
Inspirar: colocad las manos debajo de los hombros, con los dedos hacia fuera y los codos encogidos cerca del pecho. Estirad la barbilla hacia delante en el suelo. Juntad las piernas para formar el cuerpo de la cobra.

2 **Espirar:** levantad despacio la cabeza y el pecho y arquead la espalda. Intentad no colocar demasiado peso en las manos, pero utilizad los músculos fuertes de la espalda para levantar el pecho lo máximo posible.

3 Si os sentís incómodos con el paso 2, inspirad y al espirar empujad contra las palmas y levantad el pecho, arqueando la espalda. Mirad al techo. Aguantad un momento y silbad como una serpiente, luego bajad despacio.

3

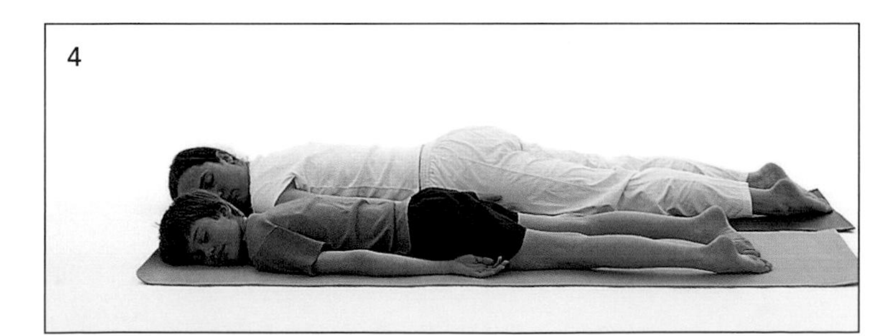
4

CONSEJO PARA EL NIÑO
Silbad todo lo alto que queráis en el paso 3.

4 Descansad unos momentos tumbados boca abajo en la colchoneta con la cabeza a un lado.

Postura de la cobra con giro

1 Tumbaos boca abajo en la colchoneta.
Inspirar: colocad las manos debajo de los hombros, con los dedos hacia fuera y los codos encogidos cerca del pecho. Estirad la barbilla hacia delante en el suelo. Juntad las piernas para formar el largo cuerpo de la cobra.

2 **Espirar:** adoptad la postura de la cobra (véase la página 53). Deslizad las manos hacia delante hasta que los codos queden debajo de los hombros. Mantened el pecho levantado y los hombros arqueados hacia atrás. Girad la cabeza para mirar por encima del hombro izquierdo y silbad. Aguantad un momento y relajaos.

3 Repetid el movimiento en el lado contrario, silbando por encima del hombro derecho. Bajad despacio y luego relajad la posición.

La cobra reina

La cobra reina es la serpiente venenosa más grande del mundo; puede medir hasta 5,5 m de largo. La cobra reina huele utilizando su lengua bífida. No tiene oídos, pero siente las vibraciones del suelo: comprobad si vosotros también podéis sentirlas.

1

1 Tumbaos boca abajo en la colchoneta.
Inspirar: colocad las manos debajo de los hombros, con los dedos hacia fuera y los codos encogidos cerca del pecho. Estirad la barbilla hacia delante en el suelo. Juntad las piernas para formar el largo cuerpo de la cobra.

2

2 **Espirar:** adoptad la postura de la cobra. Separad las piernas a la altura de la cadera. Empujad contra las palmas y estiraos arqueando la espalda todo lo alto que podáis, al tiempo que miráis al techo.

3

Beneficios

Esta postura fortalece la columna y la mantiene flexible. Los movimientos masajean los órganos del vientre y mejoran la digestión.

3 **Inspirad**, luego **espirad**: flexionad las rodillas e intentad tocaros la coronilla con las plantas de los pies. Aguantad un momento, luego relajad la postura.

4 Descansad unos momentos boca abajo con la cabeza a un lado.

4

Postura de la langosta

Las langostas son insectos parecidos a los saltamontes, con unas grandes patas traseras para saltar. La práctica de la postura de la langosta os ayuda a fortalecer los músculos de las piernas y la zona lumbar, para poder saltar mucho más alto.

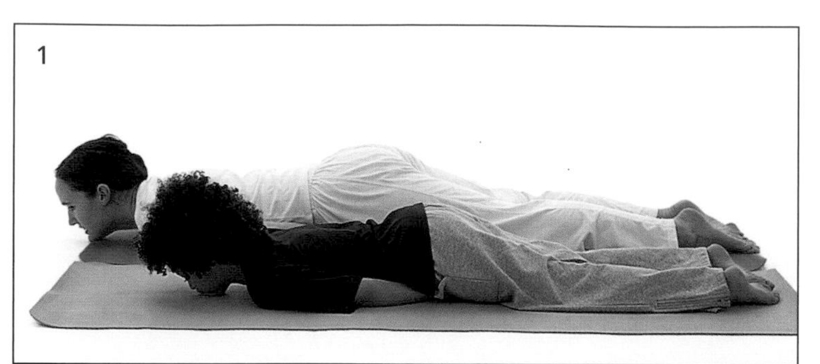

1 Tumbaos boca abajo en la colchoneta.
Inspirar: meted los brazos debajo del cuerpo, con las palmas hacia arriba o hacia abajo. Apoyad la barbilla en el suelo. Juntad las piernas.

2 **Espirar:** estirad la pierna derecha y levantadla todo lo alto que podáis sin levantar la cadera del antebrazo. Aguantad 10 segundos, luego soltad la pierna despacio. Repetid el mismo movimiento con la pierna izquierda.

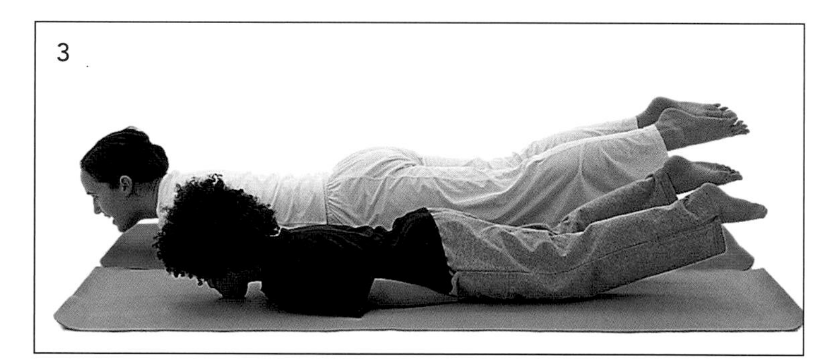

3 Para realizar un movimiento más avanzado, probad la postura completa. Tumbaos boca abajo como en el paso 1.
Espirar: levantad un poco el peso del cuerpo hacia delante, hacia los hombros y el pecho. Levantad ambas piernas a la vez. Aguantad unos segundos despacio, luego relajad la postura.

ALIVIAR LA TENSIÓN

Tras practicar varias flexiones de espalda, se recomienda estirarla en la dirección contraria. Una excelente manera de aliviar la tensión en la columna tras flexionar la espalda es relajarse en la postura del niño. Si vais a practicar más ejercicios de flexión de la espalda, simplemente tumbaos en el suelo boca arriba o boca abajo con la cabeza a un lado, entre posturas, para relajar la columna.

Postura de la mariposa

Las mariposas son criaturas bellas y delicadas. Aportan un estallido de color al jardín en verano al revolotear de flor en flor para recoger el néctar. Vamos a ver si podéis imitarlas.

Sentaos con las piernas estiradas en la colchoneta. **Inspirar:** flexionad las dos rodillas y colocad los pies lo más cerca posible del cuerpo. Juntad las plantas de los pies.
Espirar: bajad las rodillas hacia los lados, esas son vuestras alas de mariposa. Sujetaos los pies y agitad las alas con suavidad de lado a lado durante varios segundos. Mantened la columna recta y elevada.

CONSEJO PARA EL NIÑO
Cuando agitéis las alas de mariposa, imaginad que estáis en un jardín recogiendo néctar de todas las flores.

Beneficios

La postura de la mariposa ayuda a aumentar la movilidad de las caderas.

Postura de la tortuga

Las tortugas cargan su casa —su dura y ósea concha— en su espalda, y cuando se asustan, esconden la cabeza y las patas dentro. Intentad actuar como la tortuga.

1

1 Sentaos con las piernas estiradas en la colchoneta. **Inspirar:** flexionad las rodillas, separad las piernas y colocad los pies planos en la colchoneta, a unos 60 cm de las nalgas.

2

2 **Espirar:** inclinaos hacia delante y deslizad los brazos por debajo de las rodillas y hacia el empeine de los pies. Estirad las piernas todo lo posible, inclinaos hacia delante y tocad el suelo con la frente.

3 Fingid que sois tortugas y sacad la cabeza del caparazón para decir «hola» a vuestro compañero. Aguantad unos momentos, luego relajaos.

CONSEJO PARA LOS PADRES
Es una postura fantástica para que los niños la practiquen en parejas.

3

Postura del pez

Los peces viven en el agua, ya sea en ríos, en lagos o en el mar. No respiran oxígeno por la boca, sino que filtran el aire del agua gracias a las branquias que tienen en los laterales del cuerpo. Sentíos como peces con estos movimientos.

1

1 Tumbaos boca arriba en la colchoneta con los brazos y las piernas juntos. **Inspirar:** presionad con los codos y levantad la cabeza y el torso de manera que os miréis los pies.

2 **Espirar:** levantad el pecho, arquead la espalda y colocad la coronilla en el suelo. Equilibrad el peso del cuerpo entre los codos y la coronilla. Aguantad unos segundos. Para abandonar la postura, levantad la cabeza y bajad la espalda despacio.

2

Beneficios

La postura del pez ensancha los pulmones, y alivia el asma y otras afecciones de los bronquios.

3

3 Después de un ejercicio en el que estiráis el cuello como la postura de la vela (véase la página 75) y esta postura, tumbaos en la colchoneta y rotad la cabeza de lado a lado para aliviar la tensión del cuello.

Capítulo 4

Posturas de objetos

La mayoría de las asanas de este capítulo son estáticas y se mantienen sin mover el cuerpo durante unos segundos; realizan un suave masaje en los órganos internos, músculos y glándulas del niño. Además relajan el sistema nervioso y calman la mente, por lo que son adecuadas sobre todo para niños muy activos.

Muchas de estas posturas tienen nombres de objetos cotidianos, como mesa, barco o tetera. Inventad algunos cuentos estimulantes que mezclen estas posturas con las de animales del último capítulo para que los niños puedan involucrarse y disfrutar de una experiencia divertida con el yoga.

La montaña

Las montañas son grandes, fuertes y firmes. Esta es la postura básica que nos enseña a estar de pie con firmeza sobre los pies.

Colocaos de pie en la colchoneta con los pies juntos. Tensad los músculos de los muslos para que las piernas queden sólidas como una roca. Meted la rabadilla hacia dentro, levantad el pecho y colocaos erguidos. Relajad los hombros y dejad los brazos a los lados. El cuerpo debería estar en línea recta desde los tobillos hasta la coronilla. Quedaos quietos y firmes como una montaña para que ni el viento más fuerte os pueda mover.

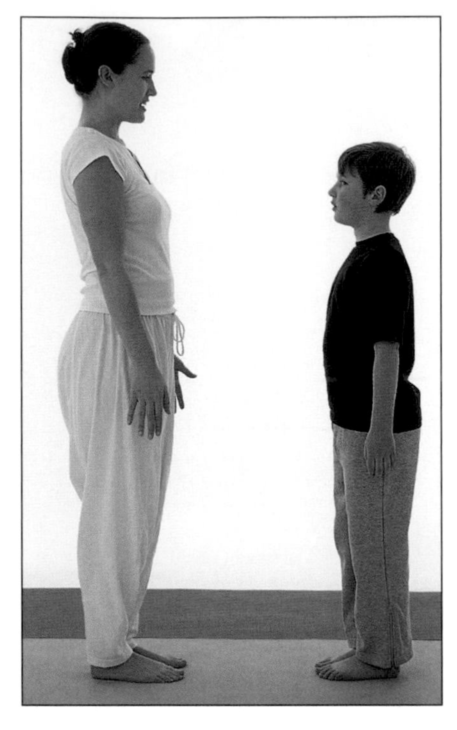

Beneficios

La asana de la montaña ayuda a adoptar una postura correcta y a concentrar la mente.

Postura del árbol

Los árboles son los pulmones del mundo: limpian el aire y nos proporcionan aire rico en oxígeno para respirar. Sin árboles, la tierra se convertiría en un desierto.

Poneos de pie erguidos en la colchoneta en la postura de la montaña (véase el apartado anterior). Centraos en un punto frente a vosotros de la pared para ayudaros a mantener el equilibrio. **Inspirar:** colocad el peso en la pierna izquierda, luego flexionad la pierna derecha y colocad el pie derecho en el interior de la pierna izquierda entre el tobillo y el muslo. Se trata de lograr poner el pie en la parte interna del muslo.

Cuando mantengáis el equilibrio en una pierna y os sintáis firmes, espirad y levantad las manos en la posición de rezo por encima de la cabeza. Aguantad mientras os resulte cómodo, luego soltad y repetidlo con la otra pierna.

CONSEJO PARA EL NIÑO

No os preocupéis si os tambaleáis un poco: los árboles también se balancean y se mueven con la brisa.

La palmera

Las palmeras viven en países cálidos. Tienen troncos largos y estriados y grandes hojas alargadas que brotan desde lo alto del tronco. A ver si podéis imitarlas.

Colocaos de pie y erguidos en la colchoneta en la postura de la montaña (véase la página anterior), luego separad los pies a la altura de la cadera.

Inspirar: entrelazad los dedos y estirad las palmas hacia fuera.

Espirar: levantad los brazos por encima de la cabeza. Levantaos sobre las puntas de los pies y estiraos todo lo que podáis. Aguantad un momento y luego soltad.

Postura de la palmera que se balancea

Las palmeras son fuertes y flexibles, pueden soportar vientos huracanados.

1 Poneos de pie y erguidos en la colchoneta en la postura de la montaña (véase la página anterior).

Inspirar: entrelazad los dedos y estirad las palmas hacia fuera.

Espirar: levantad los brazos por encima de la cabeza. Estiraos hacia arriba e inclinaos a la derecha. Aguantad un momento y luego volved al centro.

2 Volved a estiraros hacia arriba y luego inclinaos hacia la izquierda para estirar el otro lado. Aguantad un momento y luego volved al centro. Repetid la postura varias veces en ambos lados.

Postura de la tetera

Esta es una forma divertida de introducir a los niños en edad preescolar a otras posturas de pie más difíciles, como la del triángulo.

1 Colocaos en la colchoneta en la postura de la montaña (véase la página 62). **Inspirar:** separad los pies unos 60 cm. Colocad la mano izquierda en la cintura para formar el mango de la tetera. Estirad el brazo derecho a un lado, con el codo y la muñeca un poco doblados y los dedos hacia fuera a la altura de los hombros. **Espirar:** girad el pie derecho hacia fuera y el izquierdo un poco hacia dentro. Inclinad el torso a la derecha para serviros el té.

2 Repetid al otro lado, y servid la taza de té con el brazo izquierdo.

Beneficios

Esta postura fortalece las piernas y ayuda a concentrarse mejor.

El triángulo

Aprended algo de geometría con el yoga. ¿Sabíais que tres ángulos forman un triángulo? Un triángulo tridimensional se llama pirámide.

Beneficios

Esta postura es un gran estiramiento que tonifica la cintura y los músculos intercostales. También estimula el sistema nervioso.

1 Poneos de pie erguidos en la colchoneta en la postura de la montaña (véase la página 62), luego separad los pies a 1 m. **Inspirar:** girad el pie izquierdo hacia fuera y el derecho un poco hacia dentro.

2 **Espirar:** inclinaos hacia la izquierda, con los brazos en línea recta, y colocad la mano izquierda sobre la pierna izquierda entre el tobillo y el muslo. Mirad hacia arriba, a la mano derecha. Aguantad un poco, volved al centro y repetidlo al otro lado.

Postura del palo en equilibrio

CONSEJO PARA EL NIÑO
Actúa como Superman en esta postura, y siente que vuelas por el aire.

Esta postura enseña coordinación y equilibrio, y aumenta la fortaleza de los músculos.

1 Poneos de pie erguidos en la colchoneta en la postura de la montaña (véase la página 62). **Inspirar:** levantad los brazos por encima de la cabeza con las palmas una frente a la otra y los dedos extendidos. Estiraos hacia arriba e inclinaos un poco hacia atrás.

2 **Espirar:** dad un paso adelante con el pie izquierdo, inclinaos y llevad el peso del cuerpo hacia delante mientras levantáis del suelo la pierna derecha por detrás. Mantened el cuerpo, los brazos y la pierna derecha paralelos al suelo y mirad al frente. Aguantad unos segundos, volved al centro y repetidlo en el lado contrario.

Postura de la canoa

Las canoas son pequeñas embarcaciones que originalmente se tallaban de troncos de árboles. Los nativos americanos utilizaban las canoas para cruzar ríos y cazar. Ahora veréis qué se siente al ser una canoa.

1 Sentaos erguidos en la colchoneta con la espalda recta y las piernas estiradas al frente.
Inspirar: extended los brazos a la altura de los hombros con los dedos estirados.

2 **Espirar:** bajad el torso despacio hacia atrás hasta que esté a unos 15 cm del suelo. Levantad los pies hasta que os balanceéis sobre las nalgas. Aguantad un momento, luego volved a sentaros.

Beneficios

Esta postura fortalece los músculos del vientre, y es excelente para aliviar la tensión nerviosa.

Postura de la mesa

Para sentaros a comer necesitáis una mesa y una silla. En esta postura vais a ser una mesa. La mitad de los niños pueden ser mesas, y la otra mitad sillas (véase la página siguiente).

1

1 Sentaos en el suelo en la colchoneta con las piernas rectas al frente. **Inspirar:** colocad las palmas de las manos justo detrás de la cadera. Flexionad las rodillas y colocad las plantas de los pies en el suelo, separadas a la altura de la cadera.

2

2 **Espirar:** presionad contra las palmas y las plantas de los pies y levantad la cadera hasta que el torso y los muslos formen una línea recta. Aguantad un momento y luego relajad la postura volviendo a sentaros.

3 Para realizar una postura más avanzada después del paso 1, al espirar mantened las piernas rectas y colocad las palmas de la mano justo detrás de la cadera. Levantad el pecho y las caderas y estirad las plantas de los pies hacia el suelo.

3

Postura de la silla

Existen sillas de muchas formas y tamaños. Algunas tienen los respaldos altos y los asientos duros, otras están acolchadas y son calentitas, otras son plegables. ¿Qué tipo de silla vas a ser tú?

1 Colocaos de pie erguidos en la colchoneta en la postura de la montaña (véase la página 62). **Inspirar:** separad los pies a la altura de la cadera. Estirad los brazos al frente a la altura de los hombros, con los dedos juntos.

2 **Espirar:** flexionad las rodillas y sentaos hacia atrás y hacia abajo, como si estuvierais a punto de sentaros en una silla. Mantened el pecho levantado y sentid el peso en los talones. Aguantad un momento y luego volved al centro.

Beneficios

La postura de la silla hace que las articulaciones sean más flexibles, y fortalece las rodillas y los tobillos.

Postura del barco

Esta postura es una versión erguida de la canoa (véase la página 65), y se necesita una buena concentración y fortaleza en el vientre para realizarla correctamente.

1 Sentaos en la colchoneta con las piernas estiradas al frente. **Inspirar:** flexionad las rodillas y colocad las plantas de los pies en el suelo a unos 30 cm de las nalgas. Poned las manos debajo de las rodillas.

2 **Espirar:** inclinaos hacia atrás despacio hasta que los pies se levanten de la colchoneta y os balanceéis sobre las nalgas.

3 Cuando estéis equilibrados, poned rectas las rodillas poco a poco y estirad las piernas. Soltad las manos, pero mantened los brazos levantados y estirados hacia delante, con las palmas una frente a otra. Mantened el pecho levantado.
Respiración: respirar con regularidad. Aguantad unos momentos y luego relajad la postura.

1

2

3

Postura de enhebrar la aguja

La costura es una artesanía esencial que se practica en todo el mundo para hacer ropa y piezas blandas como colchas y tapices. Comprueba si puedes convertirte en un experto en «enhebrar la aguja».

1 Empezad a gatas en la colchoneta, con las manos debajo de los hombros y las rodillas bajo las caderas.

2 **Inspirar:** levantad el brazo derecho y pasadlo por debajo del izquierdo, hasta que el hombro derecho y el lado derecho de la cara estén apoyados en el suelo.

3 Cuando la cara toque el suelo, espirad y levantad el brazo izquierdo. Aguantad un momento, volved a la posición de inicio y repetidlo al otro lado.

3

Beneficios

La postura de enhebrar la aguja es un giro suave que tonifica y masajea la columna.

Postura del rayo

Los rayos o relámpagos son rayas brillantes de corriente eléctrica que se ven en el cielo durante una tormenta. En el yoga, los rayos representan destellos de inspiración o comprensión. Inspiraos haciendo esta postura.

Beneficios

Esta postura aumenta la flexibilidad de la columna y tonifica los muslos.

1 Arrodillaos en la colchoneta. Juntad las rodillas y separad los pies un poco más que la anchura de las caderas. Sentaos entre los talones con los dedos de los pies apuntando hacia atrás.

2 **Inspirar:** extended los brazos hacia arriba por encima de la cabeza y estirad la columna. Si os sentís cómodos, continuad con el paso 3.

3 **Espirar:** inclinaos hacia atrás sobre los codos y descended despacio hacia el suelo. Cuando los hombros y la parte trasera de la cabeza toquen el suelo, mantened los brazos a los lados o estiradlos por encima de la cabeza.

Postura del puente

Los puentes son construcciones que unen lugares separados por agua, carreteras o grandes alturas. La postura del puente es un buen calentamiento para la del arco y la vela. Descubrid qué tipo de puente creáis.

1 Tumbaos boca arriba en la colchoneta. Flexionad las rodillas y colocad los pies en el suelo cerca de las nalgas, separados a la altura de la cadera. Colocad los brazos a los lados con las palmas contra el suelo. **Inspirar:** presionad los pies y las palmas contra el suelo y levantad la pelvis.

2 **Espirar:** empezad a levantar las caderas a la máxima altura posible, apoyándoos en los hombros y los pies.

3 Seguid empujando hacia arriba hasta que os apoyéis en los hombros y los pies y parezcáis un puente. Entrelazad las manos detrás de la espalda o ponedlas a los lados para aguantar la espalda. Si os sentís cómodos, probad la variante.

1

2

3

VARIANTE

A partir de la postura del puente, **inspirad** y **espirad**, luego estirad la pierna derecha recta hacia arriba y extended los dedos de los pies. Repetidlo con la otra pierna. Aguantad un poco y luego bajad despacio.

Postura del arco

Esta asana imita un arco con flecha. Los brazos se convierten en la cuerda del arco y crean tensión entre la parte superior del cuerpo y las piernas. Os prepara para posturas más difíciles con flexión de la espalda, como la rueda. Comprobad hasta qué punto sois flexibles.

1

2

3

1 Tumbaos en la colchoneta boca abajo con los brazos a los lados. Colocad la cabeza a un lado.

2 **Inspirar:** flexionad las rodillas hacia las nalgas.

3 Incorporaos hacia atrás y agarraos el empeine de los pies con las manos.

Beneficios

Esta postura masajea el vientre y ayuda a mejorar la digestión y a eliminar toxinas. Mantiene la columna flexible y alivia los síntomas del asma.

4

4 **Espirar:** levantad las piernas hacia arriba y hacia atrás. Mantened los brazos rectos y dejad que la fuerza de las piernas os levante el pecho. Mirad hacia arriba, estirando el cuello. Aguantad un momento, luego volved abajo despacio.

5

5 Para aliviar la tensión de la espalda, agazapaos hacia delante en la postura del niño, metiendo las piernas hacia dentro y con los brazos a los lados.

Postura de la rueda

La rueda es uno de nuestros mejores inventos. ¿Cómo iban a moverse los coches sin ruedas? Disfrutad creando una gran rueda. Aprended esta postura primero en una clase de yoga.

1

1 Tumbaos boca arriba en la colchoneta. Flexionad las rodillas y colocad los pies cerca de las nalgas, separados a la altura de las caderas. **Inspirar:** colocad las palmas debajo de los hombros con los dedos hacia delante y los codos rectos hacia arriba.

2

2 **Espirar:** presionad las palmas y los pies contra el suelo y levantad las caderas. Dejad caer la cabeza hacia atrás y descansad un momento sobre la coronilla. Poned los brazos y piernas rectos y levantad el vientre todo lo alto que podáis para formar un puente elevado. Aguantad un momento, mirando hacia el suelo, y luego bajad despacio de nuevo, metiendo la barbilla hacia el pecho. Adoptad la postura del niño (véase el paso 5 de la página anterior) para aliviar la espalda.

CONSEJO PARA LOS PADRES
Ayudad al niño con la posición final, ya que es difícil de conseguir.

Beneficios

Esta postura flexiona y fortalece la columna. Estimula y potencia el sistema nervioso y endocrino.

Postura del niño

Imita la posición de un bebé en el vientre materno. Es una asana tranquila de descanso que se puede hacer cuando os sintáis cansados durante una clase de yoga.

Arrodillaos en la colchoneta. Inclinaos hacia delante, apoyad la frente en el suelo y colocad los brazos junto al cuerpo.
Respiración: respirad hondo y relajaos del todo. Mantened la postura mientras os resulte cómoda, luego incorporaos despacio.

Beneficios

Esta postura relaja la mente y alivia la tensión de la espalda.

Postura del árbol invertido

Una buena manera de darle la vuelta al mundo es convertirse en un árbol invertido. Para hacer esta vertical tenéis que mantener bien el equilibrio.

Empezad de pie cerca de una pared, o que un adulto os ayude.
Inspirar: inclinaos hacia delante y colocad las manos, con los dedos estirados, en el suelo cerca de la pared.
Espirar: levantad las piernas contra la pared (o que un adulto os ayude y os sujete), de manera que quedéis completamente invertidos. Apoyad los pies en la pared, o equilibraos solos. Aguantad un momento, luego bajad y descansad en la postura del niño (véase el apartado anterior).

Beneficios

La postura del árbol invertido fortalece las muñecas y los brazos y esclarece la mente al enviar riego sanguíneo al cerebro.

Postura de la vela

¡Iluminad el mundo con esta postura! La vela también es conocida como elevación sobre los hombros, y es fácil de hacer. Aprendedla en una clase de yoga antes de practicarla en casa.

1 Tumbaos boca arriba en la colchoneta con las piernas juntas y los brazos cerca del cuerpo, con las palmas hacia abajo.

2 **Inspirar:** flexionad las rodillas hacia el pecho y empezad a balancearlas despacio por encima de la cabeza.

3 **Espirar:** estirad las piernas y sujetaos la espalda con las manos. Estirad las piernas rectas arriba y sentid el peso del cuerpo distribuido por igual entre los codos, los hombros y la parte trasera de la cabeza. Mantened esta postura durante 10-20 segundos. Para bajar, doblad las rodillas hacia la frente, colocad las manos en el suelo, con las palmas hacia abajo, y desmontad la postura despacio, de vértebra en vértebra.

CONSEJO PARA LOS PADRES

Tal vez el niño necesite ayuda con esta asana. Tiene un efecto muy potente en las glándulas tiroides y paratiroides, así que debe mantenerse brevemente. Si un niño tiene lesiones en el cuello o en la espalda, debe evitar esta postura y la del arado (véase la página 77).

Postura de la vela utilizando una pared

Si la asana de la vela os resulta difícil, practicad utilizando una pared para apoyaros.

1 Colocad el extremo de la colchoneta de yoga contra una pared. Tumbaos con las dos rodillas flexionadas y colocad las nalgas cerca de la pared. **Inspirar:** girad a un lado y estirad las dos piernas hacia arriba hasta colocar las nalgas en la pared y comprobad que el torso y la cabeza estén en línea recta.

2 Doblad las dos rodillas y colocad las plantas de los pies en la pared.

1

2

3

3 **Espirar:** empujad los pies contra la pared y levantad la cadera y la espalda del suelo. Doblad los codos y sujetaos la espalda con las dos manos. Empujad la pelvis hacia delante para formar una línea recta desde los hombros hasta las rodillas.

4

5

4 **Inspirad, espirad**, y, cuando estéis en equilibrio, levantad despacio una pierna recta hacia arriba en el aire.

5 Levantad la otra pierna hacia arriba hasta adoptar la postura de la vela. Aguantad un poco, luego flexionad las rodillas y apoyad las plantas de los pies en la pared, por último bajad con suavidad las nalgas hacia el suelo.

Postura del arado

La postura del arado es una extensión natural de la de la vela, que envía sangre al cerebro, lo que provoca gran cantidad de nuevos pensamientos e ideas. Aprended esta postura en una clase de yoga antes de practicarla en casa.

1 Tumbaos boca arriba en la colchoneta con las piernas juntas y los brazos cerca del cuerpo con las palmas hacia abajo.

2 **Inspirar:** levantad las piernas y, manteniéndolas rectas, balanceadlas por encima de la cabeza hacia el suelo.

Beneficios

La postura del arado regula las hormonas del sistema suprarrenal y estimula el páncreas.

2

3 **Espirar:** cuando los pies toquen el suelo, estirad los brazos hacia el lado contrario. Para desmontar la postura, colocad las palmas en el suelo y volved a estiraros despacio.

CONSEJO PARA EL NIÑO

Tened cuidado de no girar la cabeza a un lado en esta postura, mantenedla siempre centrada.

Postura del loto

En la India, la flor de loto representa el máximo conocimiento y comprensión. Imaginad que sois un precioso loto cuando estéis en esta postura. Aprendedla en una clase de yoga para practicarla.

Beneficios

Si estáis alterados, sentaos tranquilos en esta postura. El loto ayuda a calmar los nervios y la mente.

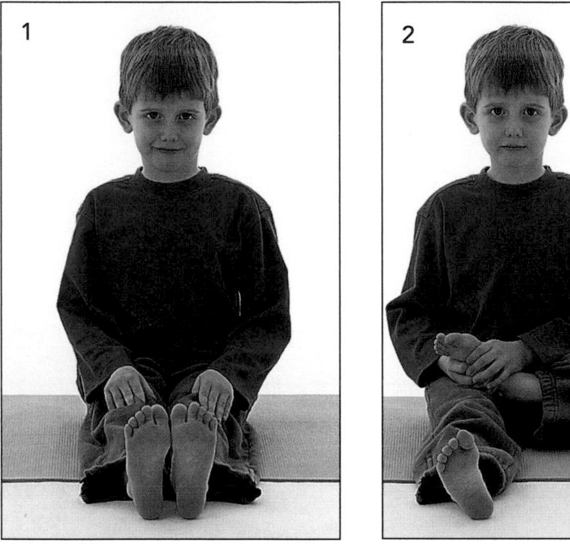
1
2

3

1 Sentaos en la colchoneta con las piernas estiradas al frente.

2 Flexionad la pierna izquierda y colocad el pie encima del muslo derecho, con la planta hacia arriba.

3 Si os sentís cómodos, flexionad la pierna derecha, levantad el pie y colocadlo encima del muslo izquierdo. Mantened la espalda recta, relajad el rostro y sentaos en silencio durante unos momentos.

CONSEJO PARA LOS PADRES
Si un niño tiene lesiones en las rodillas, no le dejéis hacer esta postura.

Postura de la navaja

En esta postura os doblaréis por la mitad, girando desde las articulaciones de la cadera, como una navaja.

1 Sentaos erguidos en la colchoneta con las dos piernas estiradas. Colocad las palmas de las manos en el suelo junto a la cadera y sentaos estirando la columna.

2 **Inspirar:** extended los brazos por encima de la cabeza, estirando desde la rabadilla (en las nalgas) hasta la punta de los dedos.

3 **Espirar:** inclinaos hacia delante con la espalda recta encima de las piernas estiradas y agarraos los dedos de los pies, o lo más lejos de las piernas que podáis llegar con comodidad. Miraos los pies y seguid estirando la columna sobre las piernas rectas. **Respiración:** descansad en esta postura durante algunas respiraciones, luego inspirad e incorporaos.

1

2

3

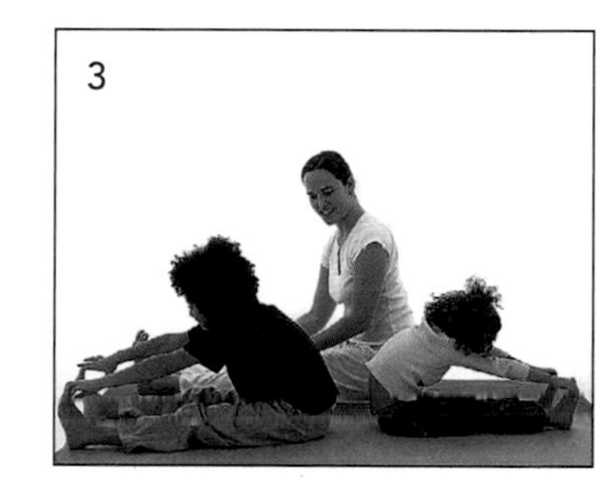

Beneficios

La postura de la navaja estira la espalda, relaja el corazón y ayuda a hacer la digestión.

Sacacorchos

Imaginad que la columna es como un sacacorchos y comprobad hasta dónde podéis girar.

1 Sentaos con las dos piernas estiradas. Flexionad la pierna derecha y colocad el pie en la parte exterior de la rodilla izquierda. **Inspirar:** erguid la columna y empezad a girar hacia la pierna derecha, con la mano derecha en el suelo detrás del cuerpo. **Espirar:** colocad la parte superior del brazo en la parte externa de la rodilla derecha y utilizadlo de palanca para profundizar en el giro. Con los hombros relajados, girad desde la base de la columna, girando la cadera, la cintura, el pecho y los hombros. Girad la cabeza para mirar por encima del hombro derecho. Aguantad un momento, luego inspirad y volved al centro.

2 Repetid el giro al otro lado para equilibrar el estiramiento, colocando el brazo en la parte externa de la rodilla izquierda.

1

2

Beneficios

Esta asana hace que la columna esté más flexible y masajea los órganos del vientre.

Capítulo 5

Posturas dinámicas

En esta serie de asanas se pasa con suavidad de una posición a la siguiente. Las posturas dinámicas infunden energía y son adecuadas sobre todo para niños mayores (de entre 7 y 11 años), pues mantienen su interés y motivación. Provocan calor, así que fomentan la flexibilidad del cuerpo y liberan el exceso de energía. Practicarlas con regularidad ayuda a eliminar toxinas, tonifica los músculos, fortalece los pulmones y estimula el proceso digestivo. Practicar estas posturas con los niños aumentará su confianza al probar los distintos movimientos.

Saludo al sol

Es sol es, con diferencia, la estrella más grande y luminosa del sistema solar. Sin él no habría vida en la tierra. El saludo al sol es muy vigorizante —se estira todo el cuerpo— y una fantástica manera de empezar una sesión. Procurad inspirar al estiraros hacia arriba y hacia atrás y espirad cuando os inclinéis hacia delante.

1 Colocaos de pie erguidos en la postura de la montaña (véase la página 62) en la colchoneta, con los pies y las manos juntos en la posición de rezo.

2 Estirad los brazos hacia arriba por encima de la cabeza. Mantenedlos separados a la altura de los hombros.

3 Levantad el pecho y flexionaos un poco hacia atrás, pero no tenséis la zona lumbar.

4 Inclinaos hacia delante desde la cadera, con la espalda y las rodillas rectas. Relajad la cabeza abajo hacia las rodillas y colocad las manos alineadas con los pies. Si las manos no tocan el suelo, doblad las rodillas hasta que lo logréis.

5 Estirad la pierna izquierda hacia atrás y bajad la rodilla izquierda hacia el suelo. Arquead la espalda, levantad el pecho y mirad hacia arriba.

6

7

6 Retirad el pie derecho alineado con el pie izquierdo, separados a la altura de la cadera. Adoptad la postura del perro empujando contra las palmas de las manos y levantando las nalgas hacia arriba y hacia atrás. Relajad la nuca y mirad atrás entre los pies. Presionad los talones contra el suelo.

7 Flexionad las rodillas y bajad el pecho hacia el suelo, con la pelvis un poco elevada. Apoyad la barbilla en el suelo.

8 Deslizad el cuerpo hacia delante hasta adoptar la postura de la cobra (véase la página 53). Empujad contra las palmas, estiraos y arquead la columna. Levantad el pecho y mirad hacia arriba.

9 Empujad contra las manos, y levantad las nalgas hacia arriba y hacia atrás para volver a la postura del perro, de modo que el cuerpo forme un triángulo. Relajad la coronilla hacia el suelo. Seguid estirando la columna y llevad los talones al suelo.

8

10 Moved el pie derecho hacia delante, flexionad la rodilla para que esté alineada con las manos y relajad la pelvis hacia abajo. Levantad el pecho, estirad la columna y mirad hacia arriba.

9

10

11 Moved el pie izquierdo hacia delante para alinearlo con el pie derecho. Relajad la cabeza hacia las rodillas e inclinaos hacia delante.

11

12 Incorporaos despacio, estirando los brazos hacia arriba cerca de las orejas. Luego volved a colocarlos en su sitio, con el cuerpo en línea recta desde las caderas hasta las puntas de los dedos. Levantad y abrid el pecho e inclinaos con suavidad hacia atrás.

12

13

13 Bajad las manos en la posición de rezo frente al pecho. Descansad un momento y luego repetid el ciclo, retirando hacia atrás primero la pierna derecha para realizar una ronda completa del saludo al sol.

Beneficios

El saludo al sol mejora la coordinación de los niños en crecimiento y fomenta su concentración. La secuencia aumenta el flujo de energía a todos los músculos, articulaciones y los principales órganos internos.

Saludo a la luna 1

La luna es el segundo objeto más luminoso en el cielo después del sol, aunque no irradia su propia luz, sino que refleja la de este. La fuerza de la gravedad entre la tierra y la luna crea una energía mareomotriz. Esta enérgica secuencia ayuda a aumentar la flexibilidad. En general, inspirad cuando os estiréis hacia arriba y hacia atrás y espirad al inclinaros hacia delante.

1 Empezad la postura sentados sobre los talones en la colchoneta, con las manos juntas en la posición de rezo, namaste.

2 Poneos a gatas, con la espalda recta e intentando mantener los brazos directamente alineados con los hombros.

3 Moved el pie izquierdo hacia delante, entre las manos. Empezad a levantar el pecho y mirad hacia arriba.

4 Con el peso sobre la pierna izquierda, inclinaos hacia atrás abriendo el pecho y, con los brazos levantados, mirando hacia arriba. Aguantad un momento, luego relajaos.

4

5 Al bajar los brazos, adoptad la postura del niño. Arrodillaos, inclinaos hacia delante, y meted la cabeza hacia dentro con los brazos a los lados y apoyados en los talones como una tortuga para relajar la tensión de la espalda.

Saludo a la luna 2

Esta variante del saludo a la luna 1 fortalece los músculos que rodean la cintura y la zona lumbar.

1

2

2

3

1 Poneos de pie en la postura de la montaña (véase la página 62) con los pies juntos y las palmas en la posición de rezo, namaste. Levantad los brazos y juntad las palmas.

2 Inclinad el cuerpo a la derecha durante unos segundos, y luego a la izquierda brevemente como en la postura de la palmera que se balancea (véase la página 62).

3 Soltad las manos. Separad los pies de un salto a 1 m, con los brazos en cruz.

4 Girad el pie derecho hacia fuera para apuntar hacia delante y mantened el pie izquierdo un poco hacia dentro. Con los brazos rectos, estirad el torso a la derecha y colocad la mano derecha en la pierna derecha entre el tobillo y el muslo. Estirad la mano izquierda recta arriba, como en la postura del triángulo (véase la página 64).

5 Girad la cabeza y el torso hacia la pierna derecha. Bajad las dos manos hacia el pie derecho y colocadlas en el suelo, luego inclinad la cabeza hacia la rodilla derecha.

6 Moved las manos y girad el torso hacia el frente, con las manos entre los pies, separadas a la altura de los hombros. Girad los pies al frente.

7 Bajad la coronilla hacia el suelo, luego volved al paso 5, moviendo el pie izquierdo hacia delante, incorporaos hasta quedar de pie y luego descansad.

Postura del guerrero

Los guerreros son fuertes y poderosos. Algunos, como el hombre araña, poseen una fuerza sobrehumana; los niños disfrutarán especialmente con esta secuencia.

1 Poneos de pie erguidos en la postura de la montaña (véase la página 62) con las palmas juntas en la posición de rezo, namaste.

2 Estirad los brazos a los lados y levantadlos por encima de la cabeza, de nuevo en la posición de rezo con las palmas unidas. Mirad hacia arriba, hacia las manos.

3 Inclinaos hacia delante desde la cadera, con la espalda y las rodillas rectas. Relajad la cabeza abajo hacia las rodillas y colocad las manos alineadas con los pies. Si las manos no tocan el suelo, flexionad las rodillas.

4 Moved la pierna izquierda hacia atrás, lista para la postura del perro hacia abajo (véase la página 44).

1

2

3

4

Beneficios

El querrero consta de algunos movimientos potentes. Incrementa la fuerza, la resistencia y te da la confianza de un guerrero. Fortalece las piernas, las caderas, la espalda y el corazón.

5

6

5 Desplazad la pierna derecha hacia atrás, estirad los brazos y levantad la rabadilla hacia el techo en la postura del perro hacia abajo, aguantad unos segundos.

6 Moved el pie derecho hacia delante entre las manos. Mientras mantenéis la rodilla derecha flexionada, levantad el torso y elevad los brazos por encima de la cabeza. Comprobad que tengáis los brazos separados a la altura de los hombros, con las palmas una frente a otra y los codos rectos. Mirad hacia arriba entre las manos y aguantad un momento.

7

7 Doblad el torso hacia delante y estirad los brazos a la altura de los hombros. Mantened la rodilla flexionada y mirad por encima del hombro derecho. Luego colocad las manos en el suelo a los lados de la pierna flexionada y repetid la secuencia desde el paso 4 con la pierna izquierda. Luego seguid los pasos 3, 2 y terminad con el paso 1, con las manos de nuevo en posición de rezo.

Postura de la barca de remos

Esta postura puede ser divertida de hacer en parejas para poder comparar lo bien que remáis.

1 Sentaos en la colchoneta con las piernas rectas al frente. Con las manos a los lados, imaginad que vais a remar.

2 **Inspirar:** levantad las manos por encima de la cabeza, estirando los brazos desde el pecho.

CONSEJO PARA LOS PADRES
Podéis hacer que los niños lo prueben en grupo, de modo que un niño se siente entre las piernas de otro.

1

2

3 **Espirar:** inclinaos hacia delante y estirad los brazos hacia los pies en un movimiento circular.

4 Deslizad las manos por las piernas e inclinaos hacia atrás todo lo que podáis sin caeros. Repetid los pasos 1 y 2 (inspirando al estiraros) en movimientos de remo hacia delante 10 veces, y luego 10 veces en movimientos inversos.

Beneficios

La postura de la barca de remos fortalece el abdomen y aporta flexibilidad a la cadera.

3

4

Postura de la bicicleta

1

1 Tumbaos boca arriba en la colchoneta con los brazos cerca del cuerpo y las palmas hacia abajo.

2 Levantad las piernas para que queden en perpendicular. Pedalead con las piernas en el aire como si montarais en bicicleta. Sentid la energía de las piernas haciendo el movimiento circular, luego bajad los pies hacia el suelo hasta que los talones queden justo encima del suelo. Invertid el movimiento y repetid los pasos 1 y 2. Respirad con regularidad todo el tiempo.

Beneficios

Este ejercicio es bueno para las articulaciones de la cadera y la rodilla, y fortalece el abdomen y la zona lumbar.

2

Postura del balanceo

Tanto este ejercicio como el spagat rodante (véase la página siguiente) masajean toda la columna al rodar sobre ella. Haced este ejercicio en una superficie suave como una manta doblada y mantened la cabeza hacia dentro.

Beneficios

Este ejercicio masajea la columna y reanima la mente.

1

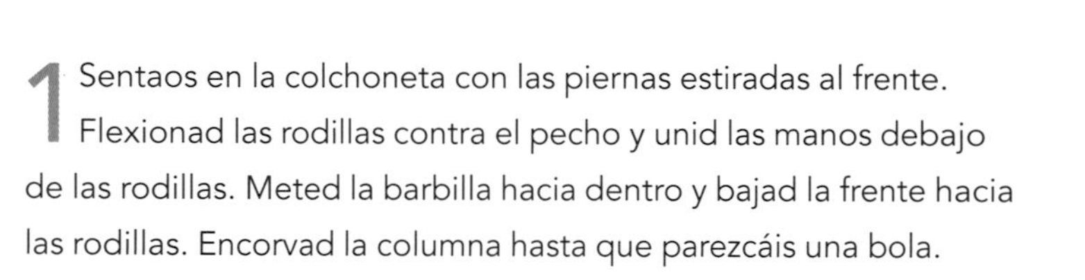

1 Sentaos en la colchoneta con las piernas estiradas al frente. Flexionad las rodillas contra el pecho y unid las manos debajo de las rodillas. Meted la barbilla hacia dentro y bajad la frente hacia las rodillas. Encorvad la columna hasta que parezcáis una bola.

2 Balanceaos despacio atrás y adelante a lo largo de la columna. Comprobad si podéis impulsaros con el movimiento de las piernas. Mantened la respiración regular todo el tiempo. Repetidlo 5-10 veces.

Postura del spagat rodante

1 Empezad sentados en la colchoneta con las piernas estiradas al frente.

2 Flexionad las rodillas contra el pecho y sujetaos detrás de las rodillas. Encorvad la columna y poned la barbilla contra el pecho.

3 Empezad a rodar hacia atrás para adoptar la postura del arado (véase la página 77), impulsándoos hacia atrás.

4 Al llegar a la postura del arado, tocad el suelo con los pies por detrás de la cabeza.

5 Volved rodando hacia delante hasta que las pantorrillas toquen el suelo. Una vez sentados, inclinaos adelante, hacia el suelo. Respirad de forma regular todo el tiempo. Repetidlo 5-10 veces.

Beneficios

Este ejercicio estira la columna y aumenta la flexibilidad de la cadera.

Postura abdominal dinámica

1 Tumbaos boca arriba en la colchoneta con los brazos cerca del cuerpo y las palmas hacia abajo. Juntad las piernas y flexionad los pies.

2 Estirad los brazos por encima de la cabeza en el suelo e inspirad profundamente.

3 **Inspirar:** incorporaos hasta sentaros, con el vientre contraído, y empezad a inclinaros hacia delante encima de las piernas.

4 Doblaos hacia los pies y estirad la columna. Sentaos, extended los brazos al frente, y descended despacio hasta quedar tumbados. Repetidlo 5-10 veces.

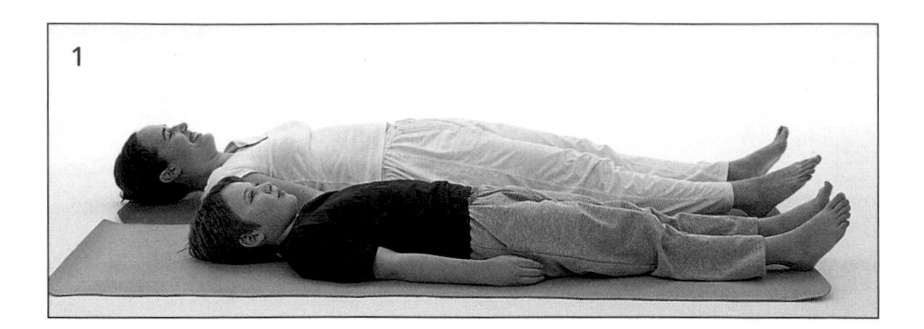
1

2

3

4

Beneficios

Este ejercicio fortalece el abdomen y la zona lumbar, y mejora la circulación, lo que proporciona más energía.

Postura de la cobra atacando

1 Adoptad la postura del niño (véase la página 74) con los brazos estirados al frente y las palmas hacia abajo.

2 Moved el pecho hacia delante y deslizadlo justo encima del suelo hasta que esté alineado con las manos.

3 Levantad el pecho, arquead la espalda y estirad los brazos. Bajad la pelvis, mirad arriba y «silbad». Levantad las nalgas , doblad las rodillas y haced la postura del niño. Repetidlo 5-10 veces.

CONSEJO PARA EL NIÑO

Disfrutad de verdad silbando cuando estéis en el paso 3 e imaginad que sois una cobra.

3

Beneficios

Este ejercicio hace que la columna sea más flexible. También estimula el hígado, los riñones y los intestinos.

Capítulo 6

Posturas en grupo

Practicar yoga en grupo o con un compañero es una manera divertida de aprender posturas y relacionarse e interactuar con los demás. A los niños les gusta trabajar juntos. Disfrutarán haciendo las posturas como parte de un grupo. En este capítulo los niños pueden apoyarse y ayudarse entre sí para hacer diferentes posturas. El yoga en pareja reduce la tendencia de los niños a competir, y les permite divertirse en grupo, mejorar los movimientos y compartir sus logros con los amigos.

Postura de la flor de loto

Esta postura imita el suave despliegue de una flor. Hay que ser conscientes de los movimientos de los demás niños para poder coordinaros bien con el resto del grupo.

1

2

1 Sentaos en círculo en el suelo con la espalda recta y las manos unidas. Colocad los pies hacia el centro. Coordinando los movimientos, inclinaos hacia delante y estirad los brazos hacia el interior del círculo.

3

2 Incorporaos despacio y levantad los brazos al aire, estirándolos desde la cintura.

3 Empezad a bajar la espalda hacia el suelo para tumbaros, y colocad los brazos a los lados.

CONSEJO PARA LOS PADRES
En esta postura se necesitan un mínimo de cinco niños.

4 Tumbaos en el suelo formando una bonita flor de loto. Levantad la pierna derecha y luego la izquierda. Bajad las piernas poco a poco y volved a sentaros. **Respiración:** respirad con regularidad todo el tiempo. Repetidlo 3-5 veces.

4

Postura de la carretilla

Haced esta postura en parejas y comprobad si podéis mover bien a vuestro compañero, o incluso haced una carrera con las demás carretillas.

Si vais a ser la carretilla, poneos en la postura de la cobra (véase la página 53) en la colchoneta. Dejad que el compañero os levante con suavidad las piernas, de manera que quedéis apoyados en los brazos. Permitid que vuestro compañero os lleve adelante y atrás, y luego cambiad las posiciones.

Beneficios

Esta postura fortalece los brazos y ayuda a que los hombros sean más flexibles.

Bailarín rey

La del bailarín rey es una difícil postura de equilibrio que resulta mucho más fácil con la ayuda de un compañero, como si fuera una imagen reflejada.

Aseguraos de que el compañero es más o menos de la misma altura. Colocaos a 1 m de distancia en la colchoneta.

Inspirar: levantad los dos el brazo izquierdo, flexionad la pierna derecha y sujetaos el tobillo.

Espirar: levantad despacio la pierna flexionada hacia atrás e inclinad los cuerpos hacia delante, mientras os apoyáis el uno en el otro con las manos. Aguantad unos segundos, luego bajad la pierna y repetid la postura en el lado contrario.

Si queréis practicar esta postura solos, utilizad una pared para apoyaros.

Beneficios

Esta postura fortalece los músculos de las piernas y mejora el equilibrio y la coordinación.

Giros

Girar es una manera fantástica de aliviar las zonas tensas de la columna, y es aún más divertido cuando se hace con la ayuda de un compañero.

1 Sentaos uno frente a otro con las piernas cruzadas en la colchoneta. **Inspirar:** poned el brazo izquierdo detrás de la espalda y haced que el compañero haga lo mismo. Girad un poco a la izquierda.

2 **Espirar:** agarrad la mano derecha del compañero con la mano izquierda, y la mano izquierda con la derecha, y estirad con suavidad. Sentid el giro desde la columna hasta los hombros.

Inspirar: sentaos erguidos y estirad la columna. **Espirar:** girad un poco más. Aguantad un poco, luego desenroscaos con suavidad. Repetidlo en el lado contrario.

Postura del barco con un compañero

Los barcos flotan en el agua y llevan pasajeros y carga por los océanos. Practicad esta postura en grupos de dos o tres personas.

1

2

1 Sentaos frente al compañero con las rodillas flexionadas, los pies tocándose, y agarrados de las manos.

2 **Inspirar:** inclinaos un poco hacia atrás, hasta que los pies se levanten del suelo y os quedéis apoyados en la rabadilla.

3 **Espirar:** unid las plantas de los pies y poned las piernas rectas. Cantad juntos la canción «rema, rema, rema la barquita». Aguantad un momento, luego soltad.

3

Beneficios

La postura del barco fortalece los músculos de la barriga, la espalda y los hombros. También facilita una buena digestión.

Postura del balancín (de espaldas)

Esta postura permite practicar las flexiones hacia delante con ayuda de un compañero.

1 Sentaos con las piernas cruzadas en la colchoneta y la espalda tocando la del compañero. **Inspirar:** colocad las manos sobre las rodillas y sentaos muy erguidos.

2 **Espirar:** inclinaos hacia atrás despacio, empujando con suavidad al compañero hacia delante hasta donde resulte cómodo. Aguantad unos segundos, luego volved despacio a sentaros erguidos.

1

2

3

3 Repetidlo en la dirección contraria, que el compañero se incline hacia atrás para que tú vayas hacia delante. Aguantad unos segundos, luego sentaos erguidos despacio.

Beneficios

Esta postura hace que las caderas y la espalda estén más flexibles.

Capítulo 7

La respiración

La respiración es básica en la vida. En el yoga se considera que la vida y la respiración coexisten. El aire que respiramos nos mantiene vivos, alimenta nuestras células, tejidos, nervios, glándulas y órganos. La cantidad de oxígeno que absorbemos influye en todas las funciones corporales, desde la digestión hasta el pensamiento creativo.

Este capítulo incluye algunos ejercicios de respiración profunda para enseñar a los niños a respirar correctamente desde el diafragma, abrir el pecho y permitir que los pulmones se ensanchen al máximo, para mejorar el sistema respiratorio y masajear órganos como el corazón y el estómago. También reflexiona sobre una dieta equilibrada, ya que es importante potenciar que los niños crezcan sanos y fuertes.

La respiración

El oxígeno que inspiramos, penetra en nuestros pulmones, donde es absorbido por el flujo sanguíneo. A continuación se combina con la glucosa en la sangre y produce energía. Cuando sacamos aire se expulsa dióxido de carbono, un producto derivado de la quema de glucosa.

Según los yoga sutras, el aire contiene prana, o la energía vital. Absorbemos prana a través de la respiración, la luz solar, el agua y los alimentos. Cuando nuestros cuerpos están llenos de prana, aumenta la resistencia a la enfermedad.

La respiración no solo alimenta el cuerpo, sino que la forma de respirar cambia nuestra manera de pensar, ya que tiene un efecto directo en nuestras mentes y emociones. Cuando nuestra respiración es regular y profunda, la mente está tranquila y los nervios se calman. Una respiración profunda otorga a la mente estabilidad y agudiza los sentidos. El cerebro necesita el triple de oxígeno que cualquier otro órgano del cuerpo para funcionar con eficacia. Una respiración profunda y rítmica es la manera más rápida de devolver la energía a un cuerpo cansado. La respiración profunda también ralentiza y relaja el corazón. Los textos de yoga dicen que la respiración está ligada a nuestro ritmo natural. Cada individuo tiene un ritmo distinto, mediante la respiración estamos conectados con nuestro propio ritmo, y se establece un equilibrio.

La mayoría respiramos de una forma demasiado superficial, sobre todo en momentos de tensión, y el aire usado queda atrapado en los pulmones, lo que provoca que se creen toxinas en el cuerpo.

La respiración y los niños

Los ejercicios de respiración son un gran regalo para los niños que pueden utilizar durante toda su vida. Enseñarles a respirar adecuadamente fomenta la serenidad interior y la seguridad. Si añadís algunas técnicas de visualización a los ejercicios de respiración, podéis ayudar a incrementar la conciencia que tienen de sí mismos, así como su autoestima. Cuando inspiren, enseñadles a imaginar las cualidades que quieren desarrollar, como la fuerza, el valor, la seguridad en sí mismos, o ser buenos en el deporte. Cuando espiren, dejadles expulsar todos los aspectos no deseados, como los amigos desagradables, o el no ser buenos en matemáticas o historia.

Ejercicios de respiración

Podéis realizar la mayoría de los ejercicios de respiración sentados con las piernas cruzadas en la colchoneta con la columna estirada o de rodillas con las nalgas apoyadas en los talones, ya que si no estáis derechos no podréis respirar tan bien. Comprobad que la sala esté bien ventilada y que no haga demasiado frío.

Respiración con el vientre relajado

Este sencillo ejercicio os enseña a respirar de forma completa, utilizando el diafragma. Requiere menos energía que la respiración desde la parte superior del pecho, y el intercambio de oxígeno y dióxido de carbono es mayor. Practicadlo tumbados o sentados. Si tenéis menos de ocho años, puede que sea divertido practicar la respiración tumbados con un peluche, un barquito o un juguete preferido encima del vientre, para centrar la atención.

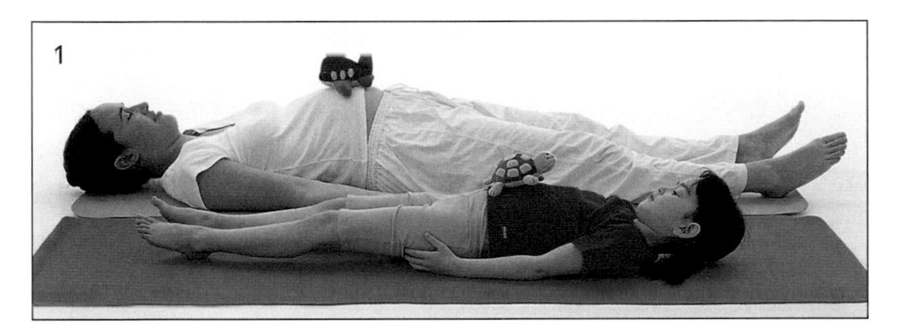

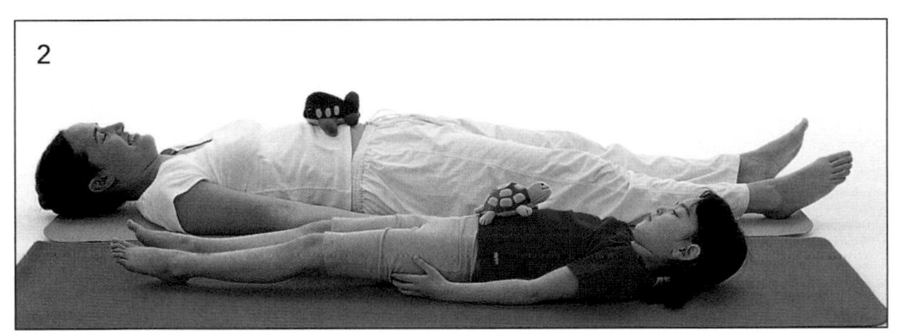

1 Tumbaos boca arriba en la colchoneta. Colocad un juguete pequeño en el vientre, cerca del ombligo. **Inspirar:** llenad el vientre de aire para que el juguete se eleve.

2 **Espirar:** contraed el ombligo hacia la columna para que el juguete se hunda. Podéis imaginar que el movimiento del vientre es como las olas del océano. **Respiración:** seguid inspirando y espirando durante 10 respiraciones.

Espantar una mosca de la nariz de un soplo

Respirar rápido desde el diafragma infunde mucha energía. Ayuda a expulsar el aire usado y mejora la digestión.

Sentaos erguidos sobre las rodillas en la colchoneta. Colocad una mano en el vientre. **Inspirad** profundamente por la nariz, luego **espirad** con energía al tiempo que contraéis el vientre hacia la columna. Al hacerlo, imaginad que estáis intentando espantar a una mosca de un soplo de la punta de la nariz. Repetidlo unas 6-10 veces.

Respiración relajante

Esta técnica equilibra los lados izquierdo y derecho del cerebro, ya que entra aire fresco por cada fosa nasal. Con las fosas nasales obstruidas, colocad las manos en las rodillas e imaginad que el aire entra; levantad el dedo índice derecho para la fosa nasal derecha y el índice izquierdo para la otra.

1 Sentaos erguidos sobre las rodillas. Doblad el brazo derecho y cerrad la mano derecha. Soltad el pulgar, el dedo anular y el meñique. Cerrad la fosa nasal derecha con el pulgar.

Espirar: sacad aire por la fosa nasal izquierda.

Inspirad: despacio y profundamente, por la misma fosa nasal.

2 Soltad el pulgar y, sujetando la fosa nasal izquierda con el dedo derecho, **espirad** por la fosa nasal derecha.

Inspirad por la misma fosa nasal y repetid el ciclo 10 veces.

Respiración profunda

La respiración del yoga os enseña a utilizar los pulmones en su plena capacidad, lo que envía un flujo de sangre rica en oxígeno por el cuerpo para estimular los órganos. Utilizad una pluma o un molinillo de plástico para hacer este ejercicio.

Inspirad profundamente, primero llenando el vientre de aire, después la caja torácica y luego la parte superior de los pulmones, hasta que se eleven los huesos del pecho y la clavícula. Cuando los pulmones estén llenos del todo, **espirad** despacio, primero desde la parte superior de los pulmones, luego la caja torácica inferior, y por último el vientre, moviendo la pluma o el molinillo. Repetidlo varias veces.

CONSEJO PARA EL NIÑO

Comprobad hasta qué punto podéis mover la pluma o el molinillo.

Una dieta sana

Una dieta equilibrada con mucha fruta fresca y verdura proporciona al cuerpo los nutrientes esenciales que necesita para crecer y desarrollarse. Si uno come bien, el cuerpo se limpia, se eliminan toxinas y se absorben con facilidad las vitaminas y minerales que necesita. El objetivo del yoga es llevar una vida sencilla, sana y natural. Es importante enseñar a los niños desde pequeños que una buena dieta, a poder ser con pequeñas comidas regulares, fomenta una buena salud y da energía, vitalidad y una actitud mental positiva. Si se potencia que coman de forma sana desde pequeños, dispondrán de una base firme para el resto de su vida.

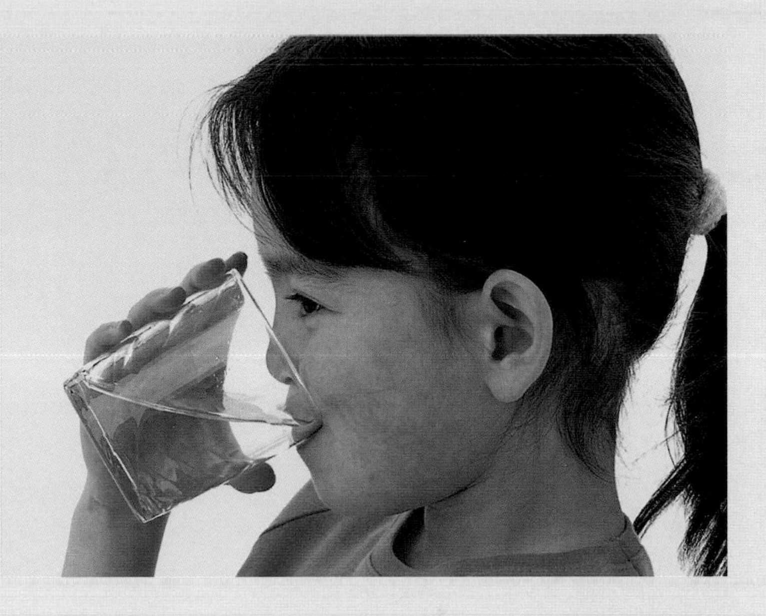

Arriba: bebe un vaso de agua cada hora para mantener el cuerpo hidratado.

Alimentos yoguis

En el yoga no existe una dieta perfecta, y las necesidades de alimentos de los niños dependerán de su constitución. En la filosofía del yoga, los alimentos ricos en nutrientes se llaman *sattvic*. Este término se refiere al tipo de energía que contiene la fuente de los alimentos. Los alimentos sattvic son ingredientes frescos que no sean picantes, e incluyen el yogur natural, la fruta, los frutos secos, la verdura, el grano cocido y los cereales. Estos alimentos incrementan la energía y crean un equilibrio en el cuerpo. Los yoguis abogan por una dieta vegetariana, ya que uno de los principios básicos del yoga es no dañar a ningún ser vivo.

Los alimentos que pueden hacer que los niños estén hiperactivos o inquietos se llaman *rajasic*. Entre los alimentos rajasic se encuentran: los dulces, el té, el café, las especias, la carne, los huevos, el pescado y los aditivos y colorantes de alimentos. Todos ellos tienen un efecto estimulante en el cuerpo. Según los principios del yoga, es mejor comer pequeñas cantidades de esos alimentos.

Izquierda: come una pieza de fruta fresca para aportarle al cuerpo gran cantidad de nutrientes.

Los alimentos que están demasiado cultivados, procesados, rancios, muy fritos o refinados se llaman tamasic. Es mejor evitarlos. Entre ellos se encuentra la comida rápida, y pueden hacer que sientas el estómago pesado y fomentar el aletargamiento.

Los beneficios del agua

El agua es esencial para la supervivencia, nuestros cuerpos están formados de un 70 por ciento de agua. Nos ayuda a digerir y eliminar la comida. Lo ideal es tomar unos dos litros de agua al día; la mitad se pueden obtener de una dieta rica en verdura fresca y ensaladas. Animad a los niños a beber agua.

Respiración y movimiento

En el yoga, todos los movimientos de los ejercicios se realizan en concordancia con la manera de respirar, en general expandiendo el diafragma al inspirar y contrayéndolo para expulsar el aire. Para aprender a coordinar la respiración y el movimiento, practicad estos sencillos ejercicios.

Semilla germinando

1 Empezad encorvados hacia delante en la colchoneta en la postura del niño (véase la página 74) e imaginad que sois una semilla.

2 **Inspirar:** imaginad que habéis empezado a crecer. Incorporaos sobre las rodillas y levantad los brazos por encima de la cabeza. Cuando estéis completamente estirados, contened la respiración un momento.

Espirar: soltad los brazos y volved a encogeros hasta convertiros en una minúscula semilla. Repetidlo 3-6 veces.

Oso amoroso

1

2

1 Tumbaos boca arriba en la colchoneta.
Inspirar: levantad los brazos por encima de la cabeza.

2 **Espirad**: emitid un sonido tipo «Ah» y abrazaos las rodillas contra el pecho. Intentad no levantar la cabeza, luego soltad y volved a la colchoneta. Repetidlo 3-6 veces.

LA RESPIRACIÓN Y EL ASMA

El asma en los niños va en aumento. Los síntomas básicos son la contracción de los tubos de los pulmones y la excesiva producción de mucosidad, que obstruye aún más las vías respiratorias. Un ataque de asma provoca una terrible dificultad para respirar, sobre todo al expulsar el aire. La causa es una combinación de varios factores: la contaminación, la dieta y la tensión. Los niños con asma a menudo están atrapados en un círculo vicioso que agrava el problema. Las posturas de yoga y los ejercicios de respiración, junto con la medicina convencional y alternativa, pueden ayudar a aliviarlo.

Capítulo 8

Explorando los sentidos

La mente es como la torre de control del cuerpo, que recibe y clasifica la información y supervisa todas las actividades físicas. El objetivo del yoga es ser capaz de aprovechar y controlar la mente en constante actividad.

Este capítulo incluye ejercicios sencillos que trabajan los sentidos, y al final hay una sección sobre relajación. Hacer que los niños se centren en un solo objeto, como una flor, puede calmar su mente y ayudarles a afrontar mejor los vaivenes emocionales. Cuando practican el escuchar sonidos, mejoran su oído y concentración, mientras que los mantras tonifican sus cuerdas vocales, y ejercitar los ojos mejora su visión.

Los ojos como agujas de reloj

Sentaos en una postura cómoda en la colchoneta o en una silla. Imaginad que tenéis una gran esfera de reloj enfrente, o pedidle a un adulto que os dibuje una para mirarla.

CONSEJOS PARA EL NIÑO
Frotad las palmas de la mano con fuerza hasta que las sintáis calientes, y colocadlas con suavidad encima de los ojos. El calor los relajará.

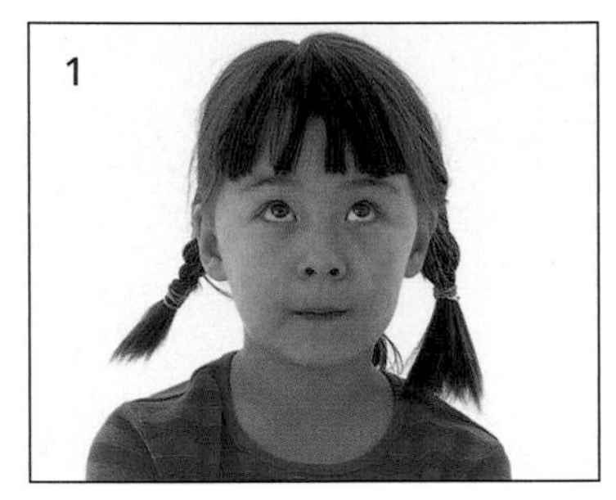

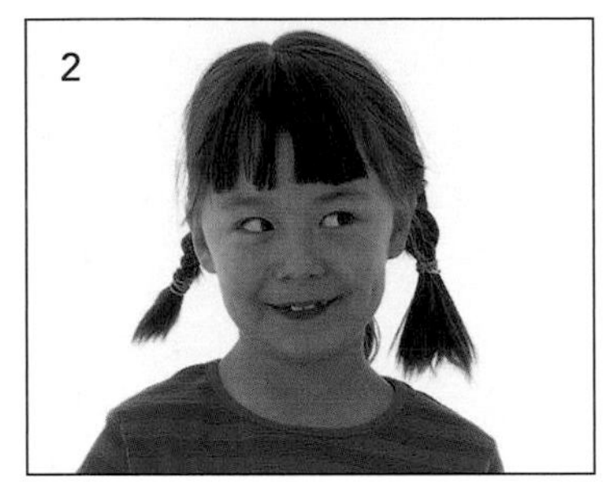

1 Empezad moviendo los ojos arriba y abajo. Mirad arriba hacia las doce en punto.

2 Moved los ojos hacia abajo en línea recta hacia las seis en punto. Repetidlo varias veces, luego cerrad los ojos y descansad.

3 Moved los ojos de lado a lado. Desplazad la mirada a la derecha y mirad hacia las tres en punto.

4 Moved los ojos en línea recta hacia las nueve en punto a la izquierda. Repetidlo 4-10 veces, luego cerrad los ojos y descansad. Por último, recorred todo el reloj. Elevad los ojos hacia las doce en punto, luego a la derecha, mirando cada número del reloj desde la una en punto hasta las seis.

Beneficios
Estos ejercicios visuales tonifican los nervios ópticos y mejoran la visión periférica.

Visualización con una flor

CONSEJO PARA EL NIÑO
Extraer el objeto de la memoria después de estudiarlo un rato ayuda a los niños a ser más observadores y aumenta su atención.

Este ejercicio ayuda a equilibrar y potenciar las actividades de la glándula pineal, lo que fomenta la intuición y ayuda a equilibrar las emociones. Haced este ejercicio solos o en grupos.

Sentaos en la colchoneta. Colocad un objeto enfrente, como una flor o una concha bonita, para observarlo. Miradlo fijamente durante 30 segundos. Ahora cerrad los ojos e intentad ver el objeto frente a vosotros mentalmente. Repetidlo 4-10 veces.

Los mantras

Es una manera fantástica de centrar las mentes jóvenes y expulsar la energía acumulada. A los niños les encanta cantar y hacer ruido, y aprecian el ritmo musical. Una temprana exposición a la música y el ritmo no solo aumenta su capacidad musical, sino que también mejora su conciencia espacial y su capacidad de aprender matemáticas y lógica.

Los mantras fortalecen la laringe, lo que ayuda a desarrollar habilidades comunicativas y hace que la voz sea fuerte y expresiva. También infunde energía, crea una sensación de paz y armoniza un grupo de niños que cantan juntos.

Los mantras se diferencian de las canciones en que se repiten pocas sílabas, variando un poco el ritmo en cada ronda. Es divertido incluir algunos instrumentos musicales sencillos como panderetas o maracas, los niños también pueden dar palmas siguiendo el ritmo.

Comprobad lo bien que os sentís cuando empecéis con los mantras. Cantar o salmodiar ejercita las cuerdas vocales, y ayuda a sacar las emociones. Haced este ejercicio con amigos.

Diferentes mantras

El mantra indio más conocido es la repetición del sonido «om», del que se dice que es el sonido universal que simboliza la armonía y la paz. A continuación os ofrecemos una lista de sencillos mantras indios que se pueden utilizar.

- *Om Shanti* significa «om paz».
- *Hari Om* es un mantra curativo. Hari es el sonido divino de la deidad hindú Vishnum, que elimina todas las impurezas. El sonido «ha» estimula la energía en el plexo solar, el sonido «ri» eleva la energía por la garganta, y la vibración «om» se siente en la cabeza.
- *Om namah Sivaya* es un mantra para la deidad Shiva, que destruye la ilusión y la ignorancia.

Otra opción es crear vuestros propios mantras o utilizar un verso de una rima infantil preferida, como «brilla, brilla, estrellita» y recitarlo repetidamente, o fomentar la confianza en uno mismo salmodiando afirmaciones positivas como «Soy alegría, soy paz».

Algunos sonidos vocales también activan diferentes glándulas, así que potenciad las habilidades comunicativas de los niños haciéndoles cantar distintos sonidos vocales o decid sílabas mientras os imagináis que el sonido emana de una parte distinta del cuerpo.

- Cantad «ja» y sentid la vibración en el plexo solar, que estimula las glándulas suprarrenales.
- Cantad «ou-o» y notad el sonido en el pecho, que activa el timo.
- Cantad «ea» y sentid el sonido en la garganta, que estimula las glándulas tiroides y paratiroides.
- Cantad «ee» e imaginad la vibración entre las cejas que estimula la glándula pituitaria.
- Cantad «aah» y sentid la vibración en la cabeza, que ayuda a esclarecer el cerebro, los ojos y la nariz.

Sentaos en círculo en una colchoneta. Utilizad algunos instrumentos como un tambor, una pandereta y un sonajero para crear un ritmo musical. Luego empezad a salmodiar, escogiendo uno de los mantras anteriores, y ved lo bien que os sentís a medida que el canto se vuelve más fuerte.

Concentración con sonido

Aprended a poneros en sintonía con el entorno escuchando varios instrumentos musicales distintos. Una pandereta y una maraca emiten sonidos diferentes. Haced este ejercicio solos o en grupos.

Sentaos en la colchoneta solos o en círculo con otros niños. Cerrad los ojos y escuchad con atención. Cuando oigáis el sonido de la pandereta o la maraca, abrid los ojos o levantad la mano y decid qué creéis que es.

CONSEJOS PARA LOS PADRES
Para aumentar la conciencia del niño de un espacio, emitid sonidos en distintas zonas de la sala y pedidles que señalen de dónde proceden con los ojos cerrados. También pueden escuchar el susurro de las hojas o a los pájaros.

Beneficios

Este ejercicio aumenta el sentido del oído y su agudeza.

Relajación

Uno de los ejercicios de yoga más importantes para una relajación profunda es el yoga nidra o sueño del yoga. Podéis practicar el sueño del yoga si os tumbáis boca arriba y os quedáis completamente quietos durante 5-10 minutos. Tumbarse tranquilos al final de la sesión de yoga permite que el sistema nervioso asimile todos los beneficios de las posturas de yoga. Sin embargo, como la relajación es especialmente difícil para los niños, que por naturaleza están llenos de energía, es útil practicar el sueño del yoga al principio de una sesión, además de al final, para calmarlos y prepararlos para la sesión.

Mantenerse calientes

Como la temperatura corporal de los niños descenderá cuando estén tumbados, conviene taparlos con mantas o toallas suaves y cálidas. Algunos niños se sienten muy vulnerables cuando están tumbados boca arriba, así que envolvedlos bien en la manta o dejadles tumbarse boca abajo. Poned música tranquila, relajante, para crear el ambiente adecuado. Bajad las luces, quemad un poco de incienso o aceites de aromaterapia y aseguraos de que nada pueda interrumpir la concentración.

Sueño de yoga

Tumbaos boca arriba en la colchoneta. Colocad los pies separados a la altura de los hombros y dejadlos caer a los lados. Separad un poco los brazos del cuerpo y girad las manos, con las palmas hacia arriba. Rotad despacio la cabeza a los lados para aliviar la tensión que tengáis en el cuello. Relajad completamente el cuerpo contra el suelo y respirad con suavidad. Recorred el cuerpo, empezando por los pies, tensando y relajando cada zona. Ahora tensad todos los músculos de la pierna derecha, luego relajadlos. Repetidlo con la pierna izquierda. Estirad los brazos y los dedos, luego cerrad las manos en un puño. Tensad todos los músculos del brazo y luego soltadlos. Respirad hondo, llenad el vientre de aire como un globo, luego soltad el aire por la boca abierta emitiendo un sonido tipo «ya». Tensad todos los músculos de la cara hacia la punta de la nariz y relajadlos. Por último, poned en tensión todo el cuerpo, aguantad unos 5-10 segundos, y luego relajaos completamente como una muñeca de trapo blanda. Eliminad de la mente todo pensamiento y sentíos en paz. Permaneced despiertos, pero sentíos totalmente relajados y tranquilos.

Ejercicio de visualización

Guiad a los niños en este ejercicio de visualización en un tono suave y agradable para ayudarles a mantenerse despiertos

Visualización de la mariposa

Imaginad que el cuerpo se vuelve muy ligero. Imaginad que sois una bonita mariposa con las alas brillantes de colores y que os posáis en una gran flor esplendorosa. Oled la flor, notad su olor dulce, parecido a la vainilla. Sentid una brisa suave y cálida en las alas al revolotear entre las flores. Contemplad el amplio cielo azul. Batid las alas y volad. Sentid cómo voláis por encima de los árboles, las montañas y las casas. Podéis volar donde queráis. Invertid los siguientes minutos en ir adonde queráis. Ahora ha llegado el momento de volver a casa. Imaginaos posados en la misma gran flor. Inspirad hondo y oled la flor.

CONSEJO PARA LOS PADRES

Una buena manera de finalizar una sesión de relajación es cantando el sonido «om» para relajar más la mente.

Capítulo 9

Series de ejercicios

Este capítulo incluye cinco series de ejercicios de yoga: la primera es una sesión breve de 20 minutos para la práctica diaria, o cuando no disponéis de mucho tiempo; la segunda es para que la hagan niños de 3-6 años con sus padres; la tercera es para que la realicen niños de 7-11 años con sus padres; la cuarta es una serie energética (ideal para las mañanas) para animar a los niños cansados; y la quinta es una serie relajante (ideal para las tardes) para cuando los niños estén estresados o excesivamente activos.

Si el niño no puede hacer una postura, saltáosla y pasad a la siguiente. Intentad practicar cada postura dos veces, o según se indique.

Series

Tradicionalmente en la India las posturas de yoga se practican cada día excepto los domingos o los días de luna nueva y luna llena. Hacer yoga todos los días limpia el cuerpo internamente y lo mantiene ágil, fuerte y saludable. Es mejor practicar yoga todos los días durante 20 minutos que hacerlo de vez en cuando durante más tiempo. Sin embargo, la falta de tiempo hace que resulte difícil comprometerse a una rutina diaria, así que intentad practicar juntos entre dos y tres veces por semana, y entonces empezaréis de verdad a apreciar los beneficios del yoga.

Los mejores momentos para practicar

Intentad hacer las posturas a primera hora de la mañana cuando tengáis la mente fresca o en algún momento después del colegio, para ayudar a que toda la familia se relaje. Haced cada postura una vez, o según se indique en la serie. Practicad en un sitio tranquilo, con el estómago vacío, y poneos ropa holgada y cómoda.

En 20 minutos

Es una serie ideal para que los niños la realicen a diario, ya que incluye ejercicios de calentamiento, un par de posturas de pie, algunas posturas sentados y ejercicios de relajación. Si sólo disponéis de diez minutos, practicad la secuencia del saludo al sol (véase las páginas 82-84) unas cuantas veces.

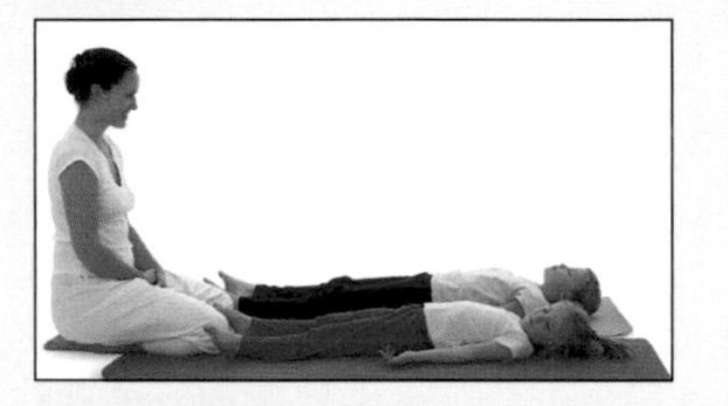

1 Sueño del yoga (2-5 minutos), p. 115

2 Mover el esqueleto, p. 32

3 El molinillo, p. 33

4 Flexión de hombros, p. 35

5 Rotaciones de pies, p. 36

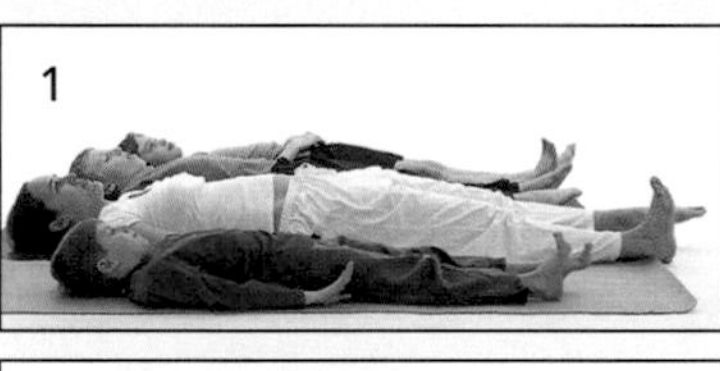

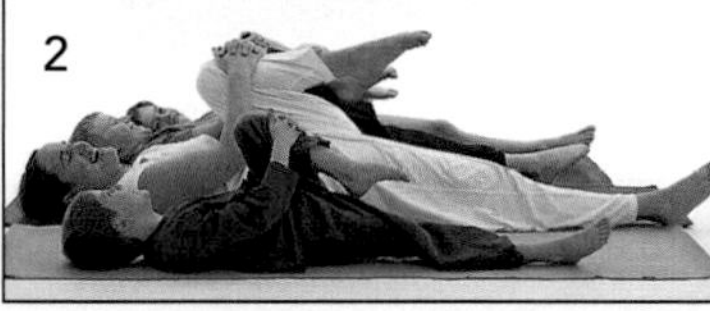

6 Rodilla al pecho, p. 38

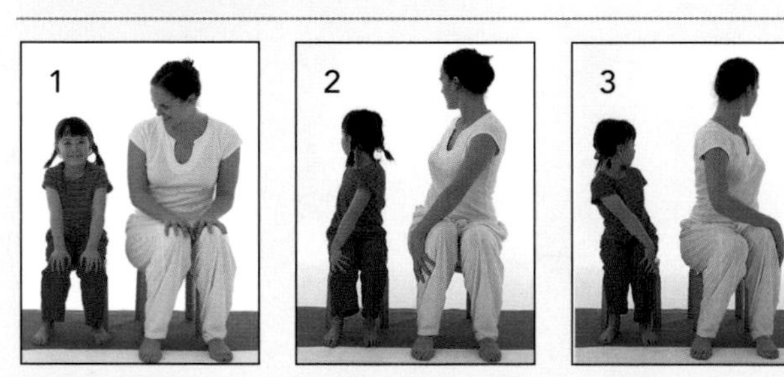

7 Sentado en un taburete, giro lateral, p. 40

8 El gato, p. 45

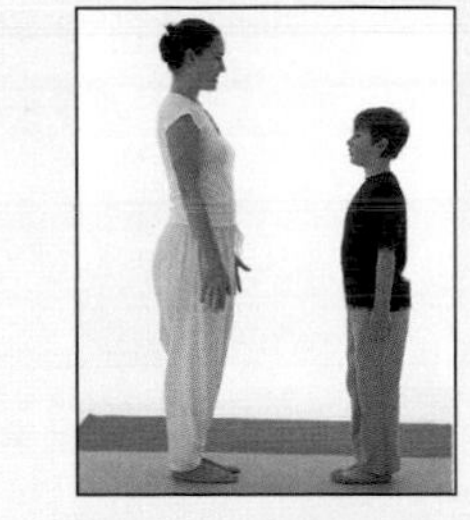

9 La montaña, p. 62

10 La palmera, p. 63

11 La palmera oscilante, p. 63

12 La tetera, p. 64

13 La rana, p. 51

14 La mariposa, p. 57

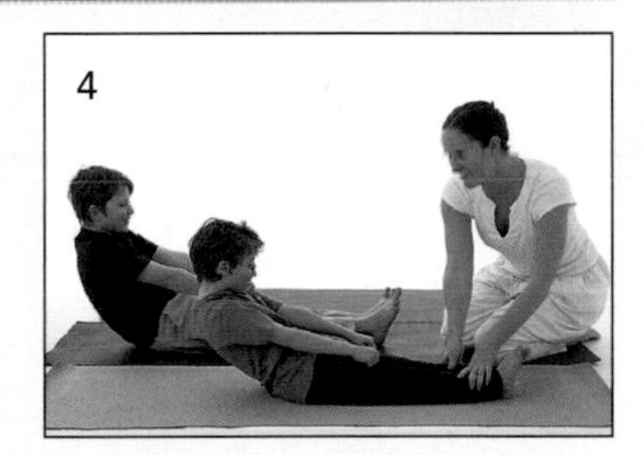

15 La barca con remos, p. 90

16 La bicicleta, p. 91

17 Semilla germinando, p. 108

18 Postura del niño, p. 71

19 Postura del loto floreciente, p. 98

20 Sueño del yoga, p. 115, véase 1

Para niños de 3-6 años

45 minutos

Esta divertida serie incluye algunos ejercicios suaves de respiración y posturas de animales y objetos. Intentad crear una historia con los animales y objetos utilizados. Durante la relajación, enseñad a los niños anatomía sencilla pidiéndoles que muevan diferentes partes del cuerpo.

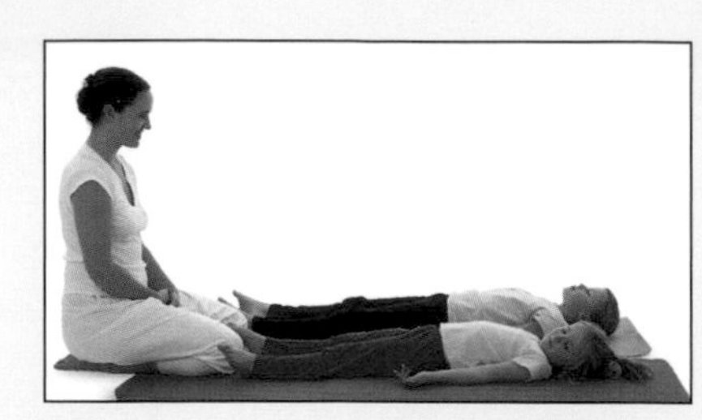

1 Sueño de yoga (2-5 minutos), p. 115

1

2

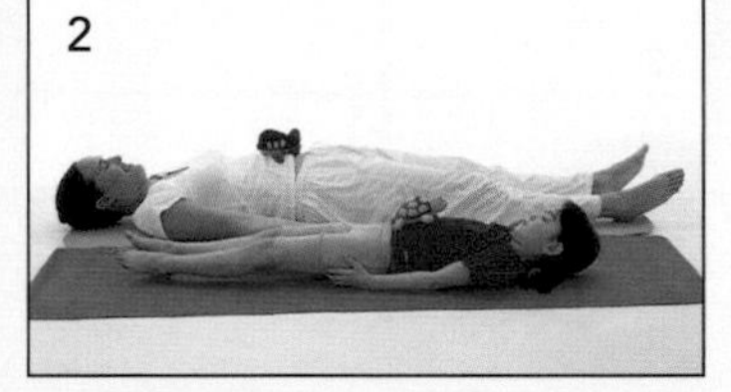

2 Respiración relajada con el vientre, p. 105

1

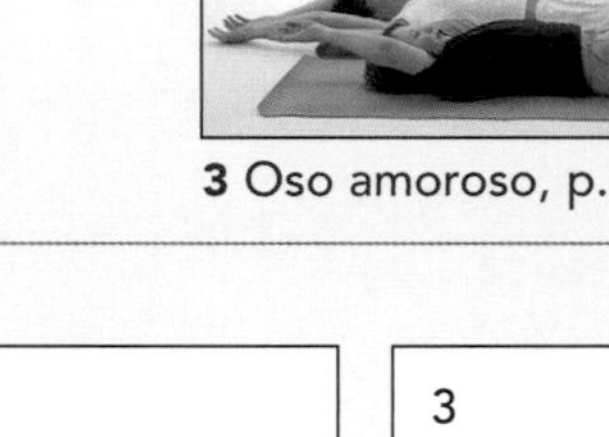

2

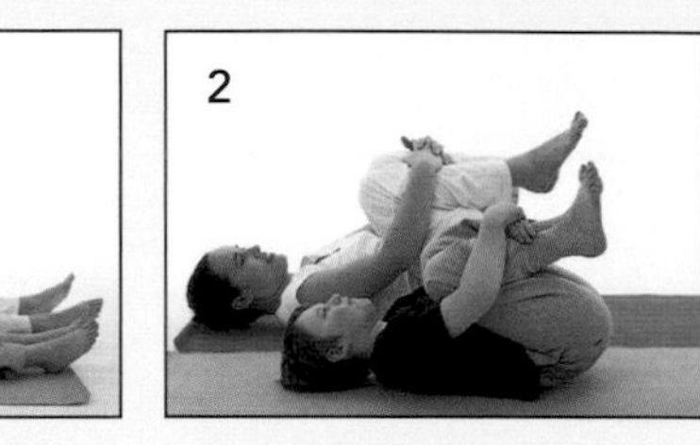

3 Oso amoroso, p. 109

1

4 Semilla germinando, p.108

1

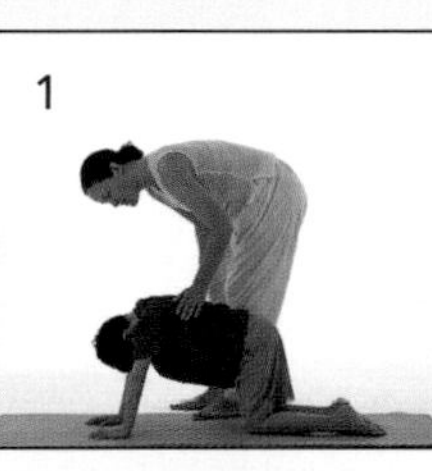

2

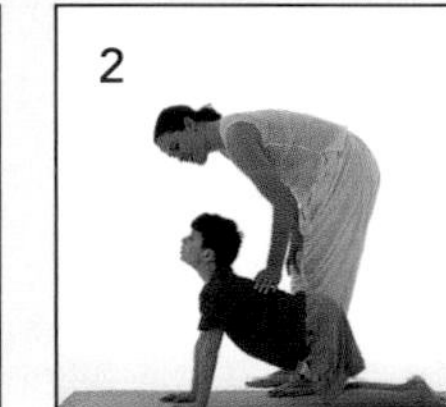

3

5 El gato, p. 45

6 El león, p. 46

7 La montaña, p. 62

8 La palmera, p. 63

9 La palmera oscilante, p. 63

10 El árbol, p. 62

1

2

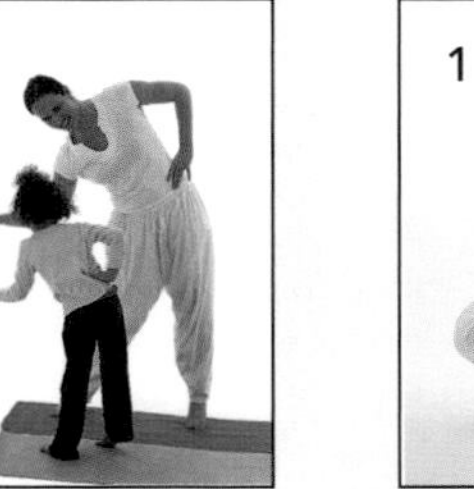

11 La tetera, p. 64

1

2

12 La silla, p. 67

13 El puente, p. 71

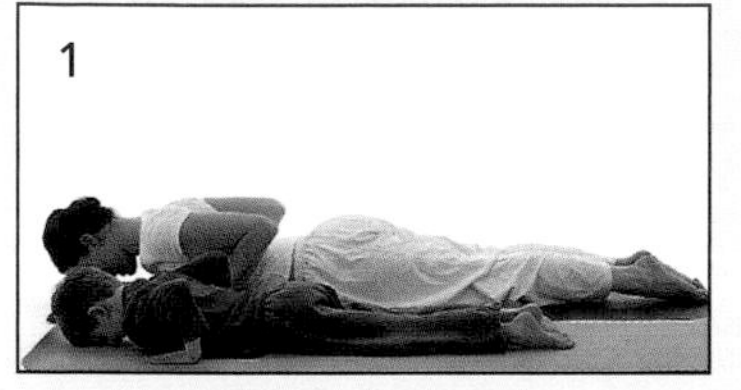

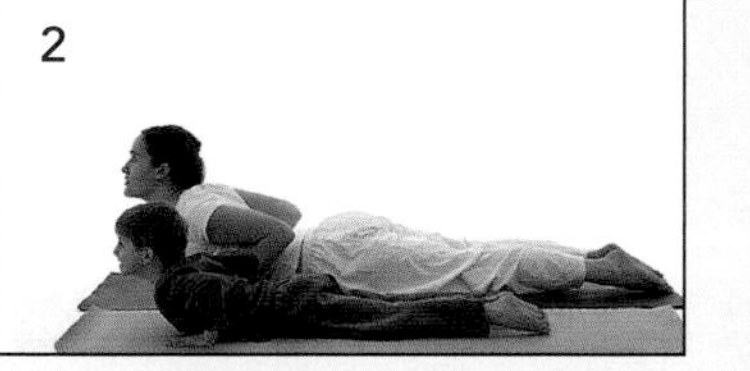

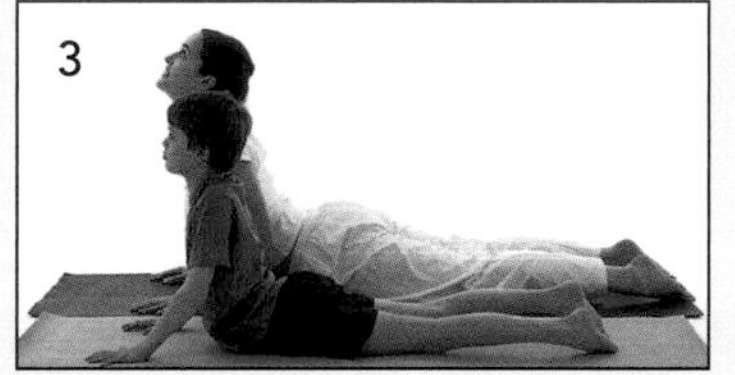

14 La cobra, p. 53

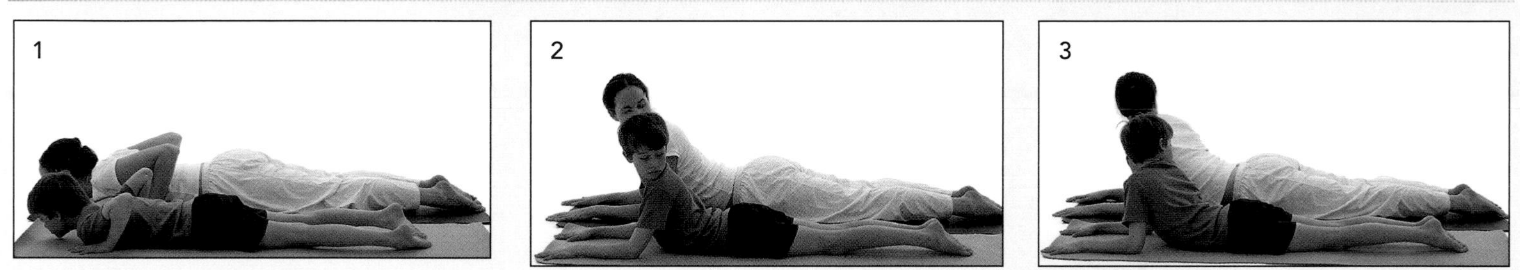

15 La cobra con giro, p. 54

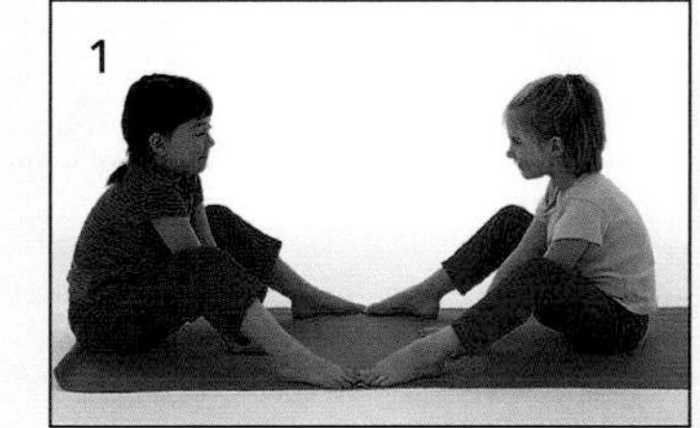

16 Postura del niño, p. 74

17 La tortuga, p. 58

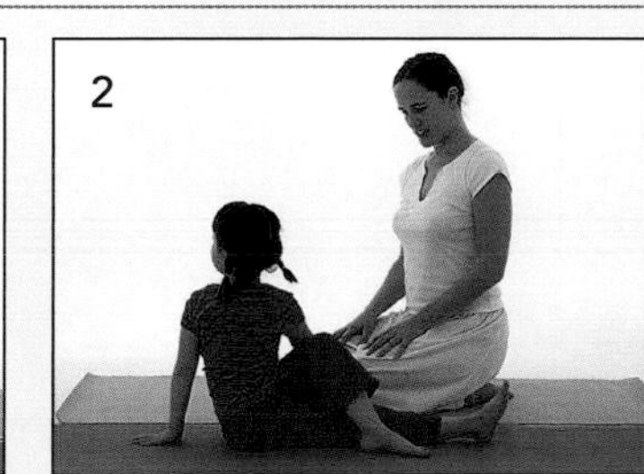

18 El sacacorchos, p. 79

19 Concentración con sonidos, p. 114

20 Mantras, p. 113

21 Sueño de yoga, p. 115, véase 1

Para niños de 7-11 años

45 minutos

Esta serie explora las habilidades de los niños mayores con estas posturas más complejas. Si tienen dificultades con una postura, animadles a seguir intentándolo para que cuando logren realizarla tengan una gran sensación de éxito.

1 Mover el esqueleto, p. 32 **2** La muñeca de trapo, p. 32

3 El molinillo, p. 33

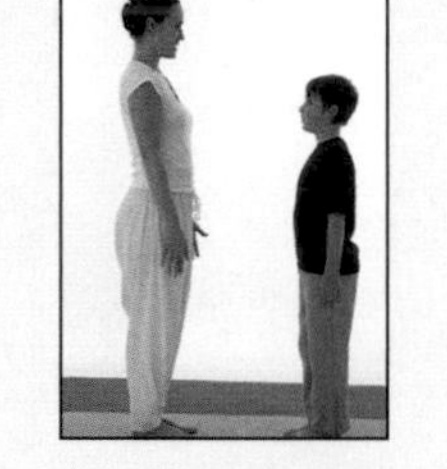

4 La montaña, p. 62

5 Saludo a la luna 1, p. 85 (o saludo a la luna 2, p. 86)

6 El guerrero, p. 88

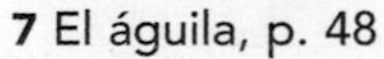

7 El águila, p. 48

8 El bailarín rey, p. 99

9 Postura del perro hacia abajo, p. 44

10 La paloma, p. 49

11 El camello, p. 50

12 La cobra atacando, p. 95

13 Postura del niño, p. 74

14 El cuervo, p. 52

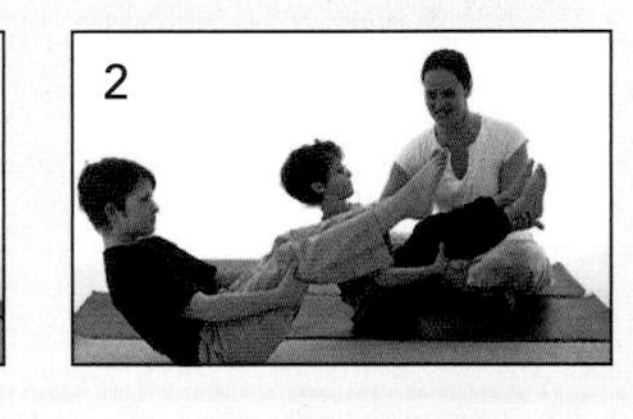

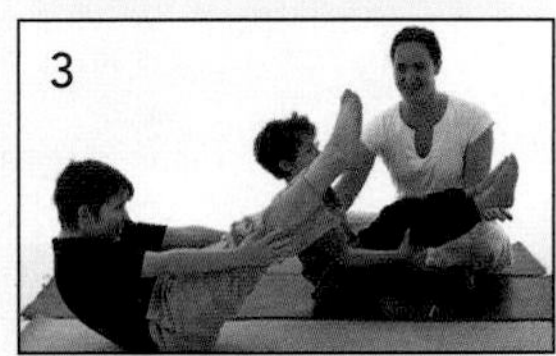

15 La barca, p. 68

16 La canoa, p. 65

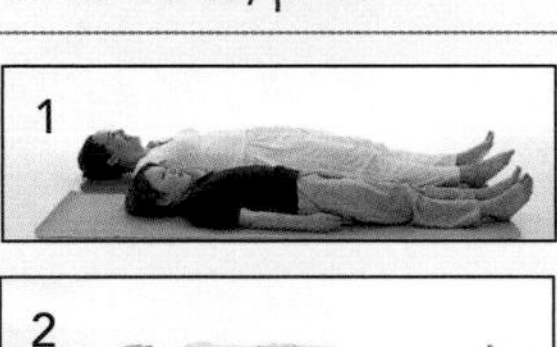

17 Postura abdominal, p. 94

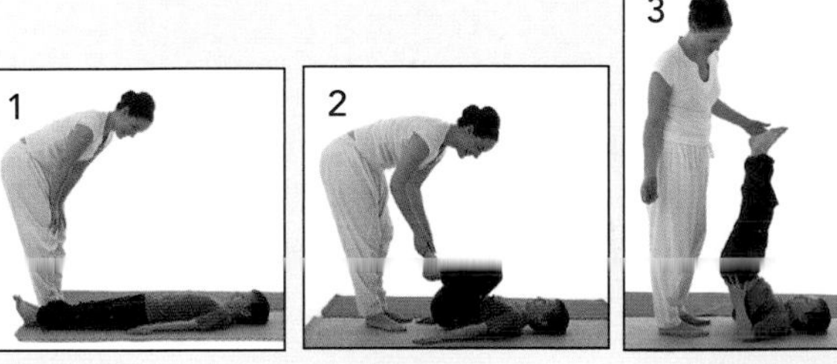
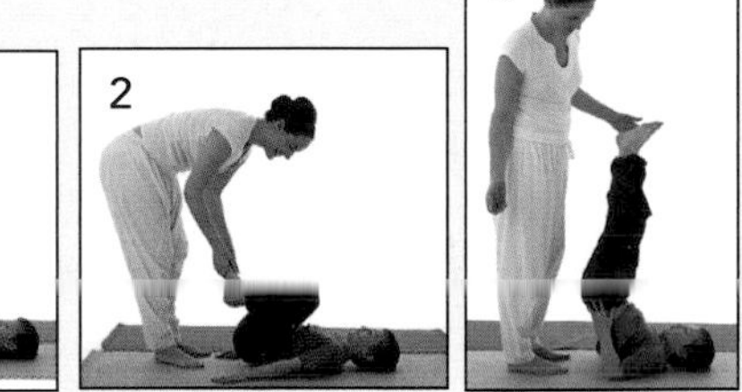

18 La vela, p. 75

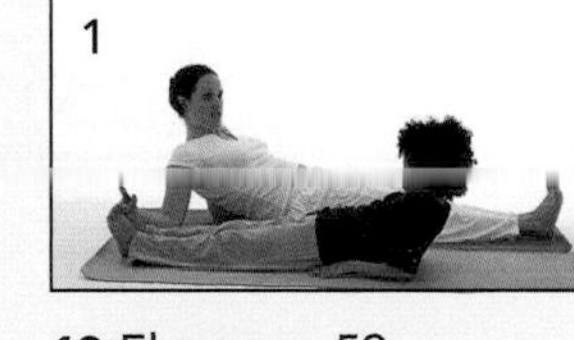
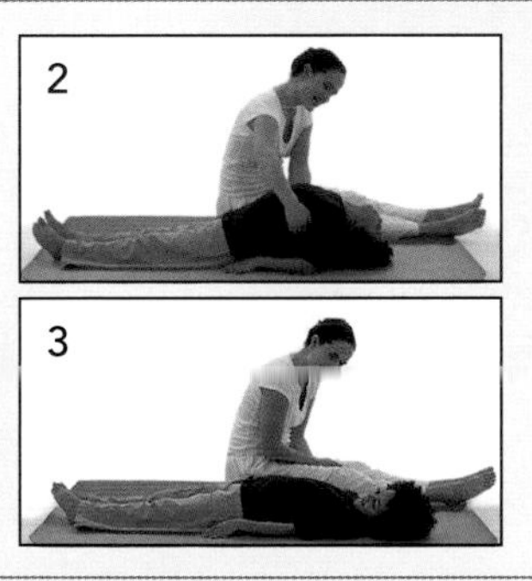

19 El pez, p. 59

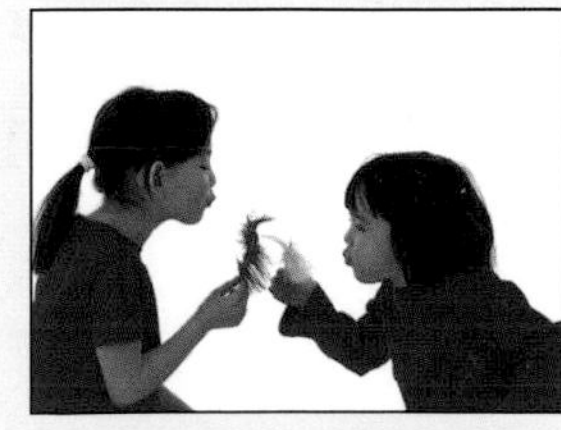

20 Respiración profunda, p. 106

21 Espantar una mosca de la nariz, p. 105

22 Sueño de yoga, p. 115

Serie enérgica

45 minutos

Estas posturas vigorizan el cuerpo y la mente. Intentad hacer esta serie a primera hora de la mañana. Al hacer una flexión de espalda, aseguraos de que la rabadilla esté metida hacia dentro y estirada para proteger la zona lumbar.

1 Mover el esqueleto, p. 32

2 El molinillo, p. 33

3 Rotaciones de cabeza, p. 34

4 Flexión de hombros, p. 35

5 Saludo al sol x 3, p. 82

6 El triángulo, p. 64

7 Postura del palo en equilibrio, p. 65

8 Postura del árbol invertido, p. 74

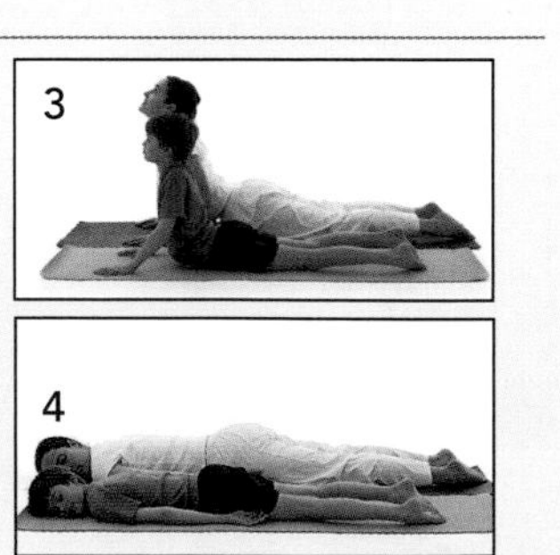

9 La cobra, p. 53

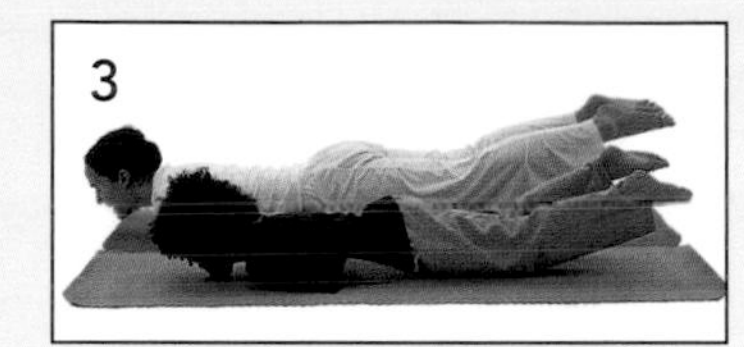

10 La langosta, p. 56

11 El arco, p. 72

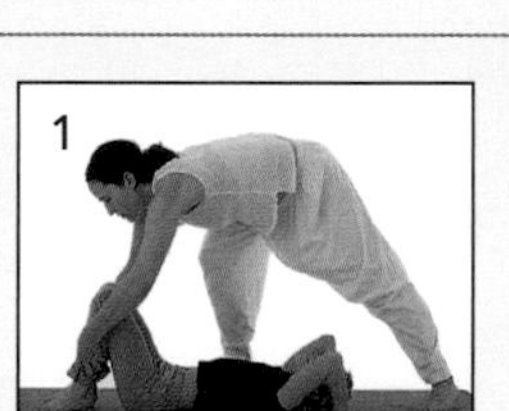

12 El puente, p. 71

13 La rueda x 3, p. 73

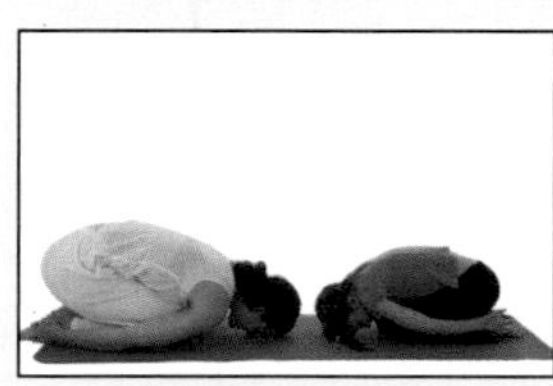

14 Postura del niño, p. 74

15 La navaja, p. 79

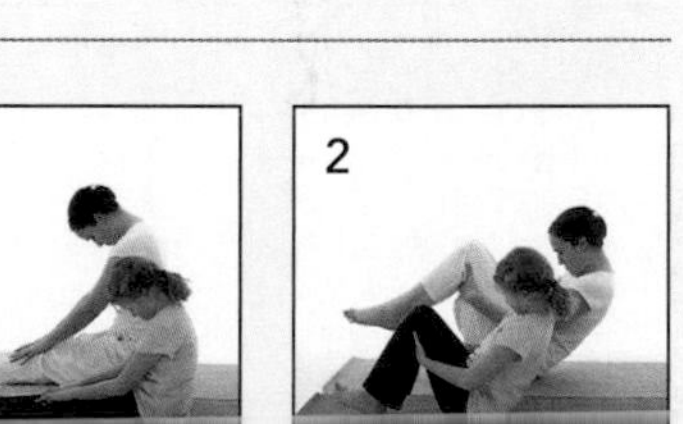

16 El sacacorchos, p. 79

17 El balanceo, p. 92

18 El spagat rodante, p. 93

19 Espantar una mosca de la nariz de un soplo, p. 105

20 Sueño de yoga, p. 115

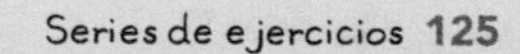

Serie relajante

45 minutos

Las siguientes posturas ayudan a calmar la mente y alivian la tensión. Algunas descansan el corazón, lo que tranquiliza el cuerpo, y otras fomentan la satisfacción y el bienestar. Este ejercicio es fantástico al final del día.

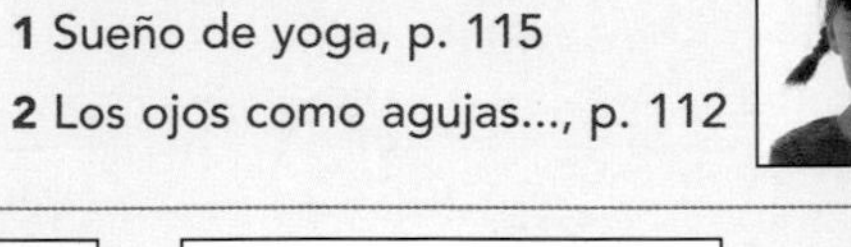

1 Sueño de yoga, p. 115

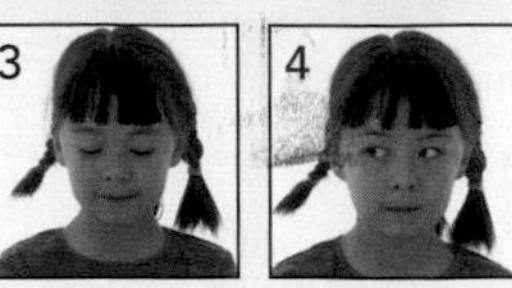

2 Los ojos como agujas..., p. 112

3 Estiramiento lateral del brazo, p. 35

4 Rotaciones del pie, p. 36

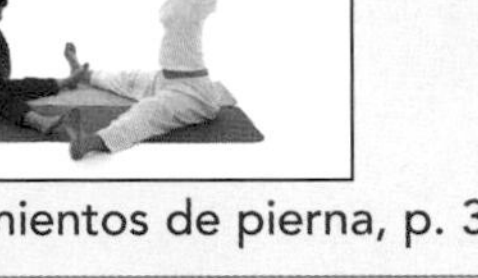

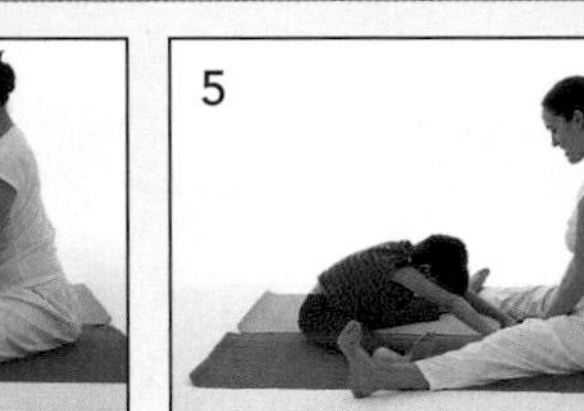

5 Estiramientos de pierna, p. 37

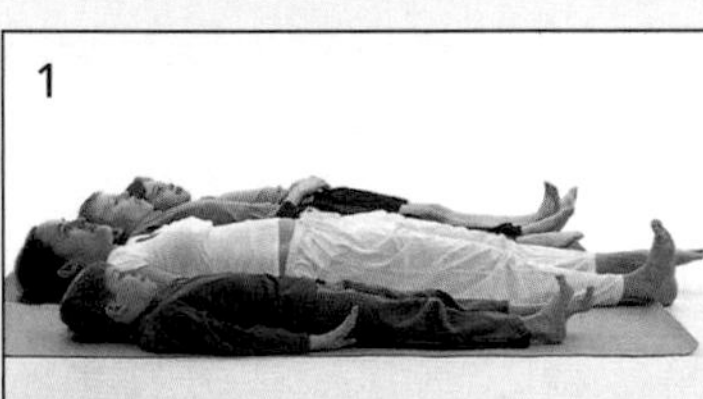

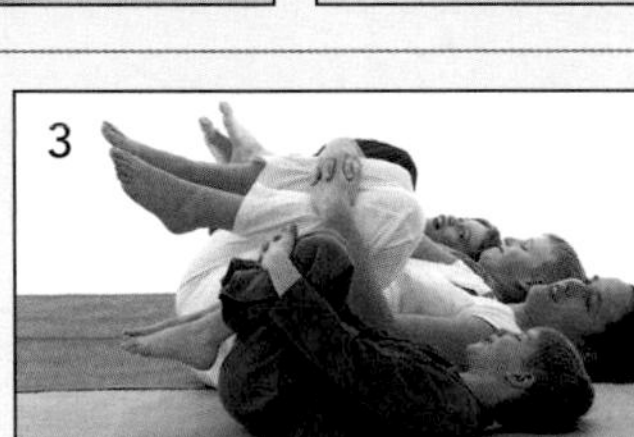

6 Rodilla al pecho, p. 38

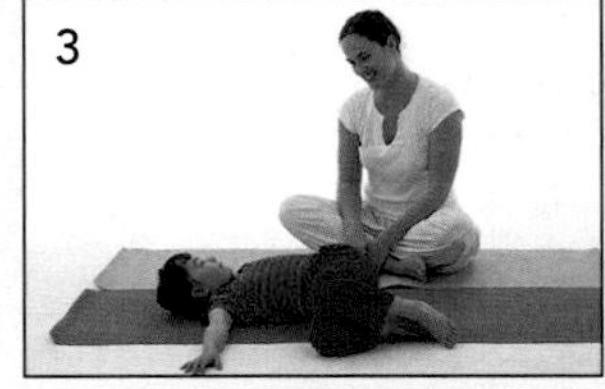

7 Giro lateral tumbado, p. 41

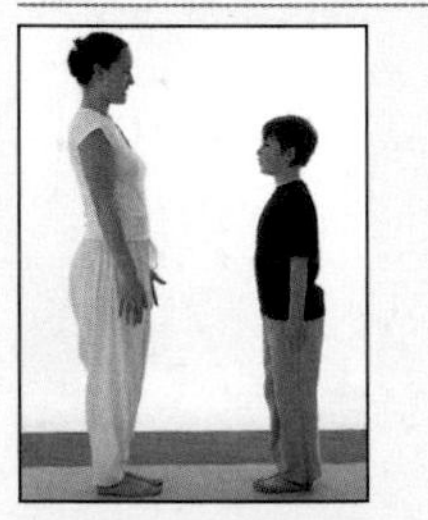

8 La montaña, p. 62

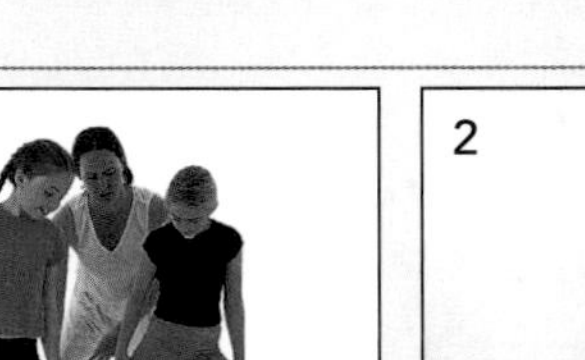

9 El triángulo, p. 64

10 El árbol, p. 62

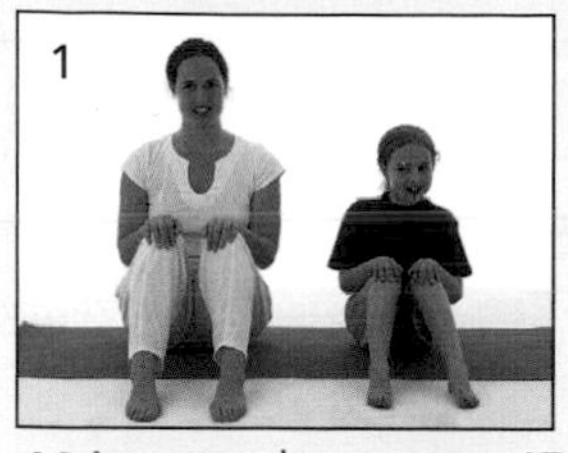

11 La cara de vaca, p. 47

12 La mariposa, p. 57

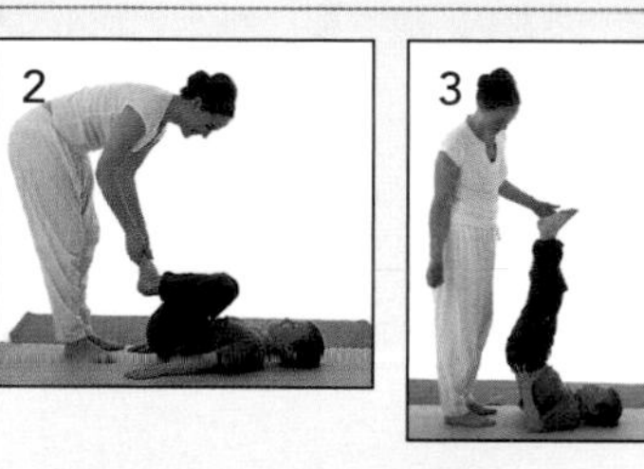

13 La vela, p. 75

14 El arado, p. 77

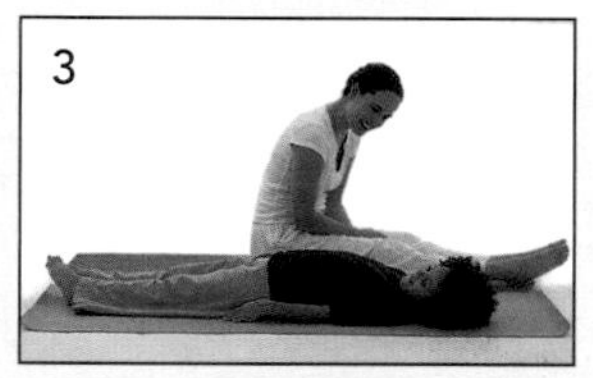

15 El pez, p. 59

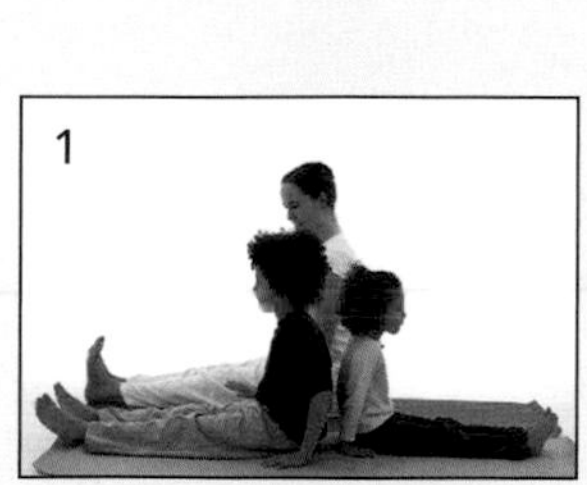

16 La navaja, p. 79

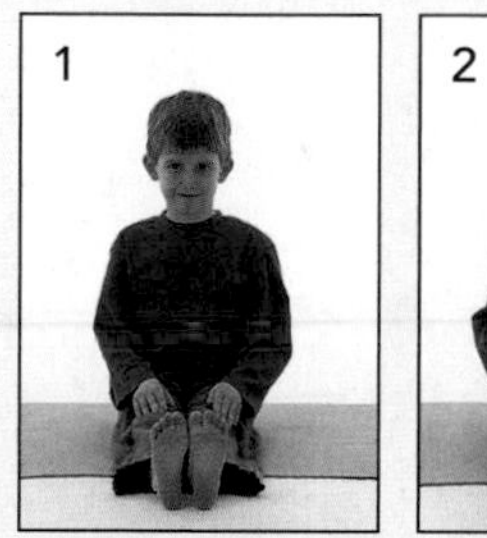

17 El loto, p. 78

18 Respiración calmante, p. 106

19 Visualización con una flor, p. 112

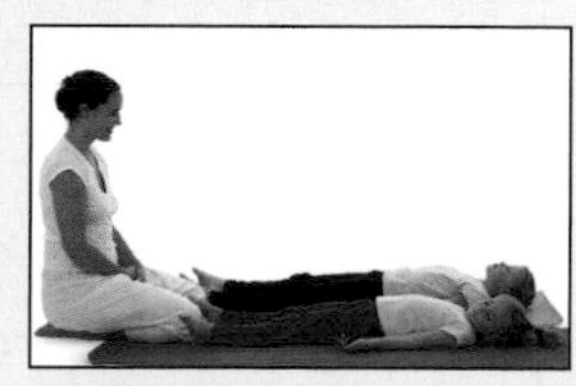

20 Sueño de yoga, p. 115

Índice